U0719962

金陵全書

甲編·方志類·府志

萬曆應天府志（二）

（明）程嗣功 修
王一化 纂

南京出版社

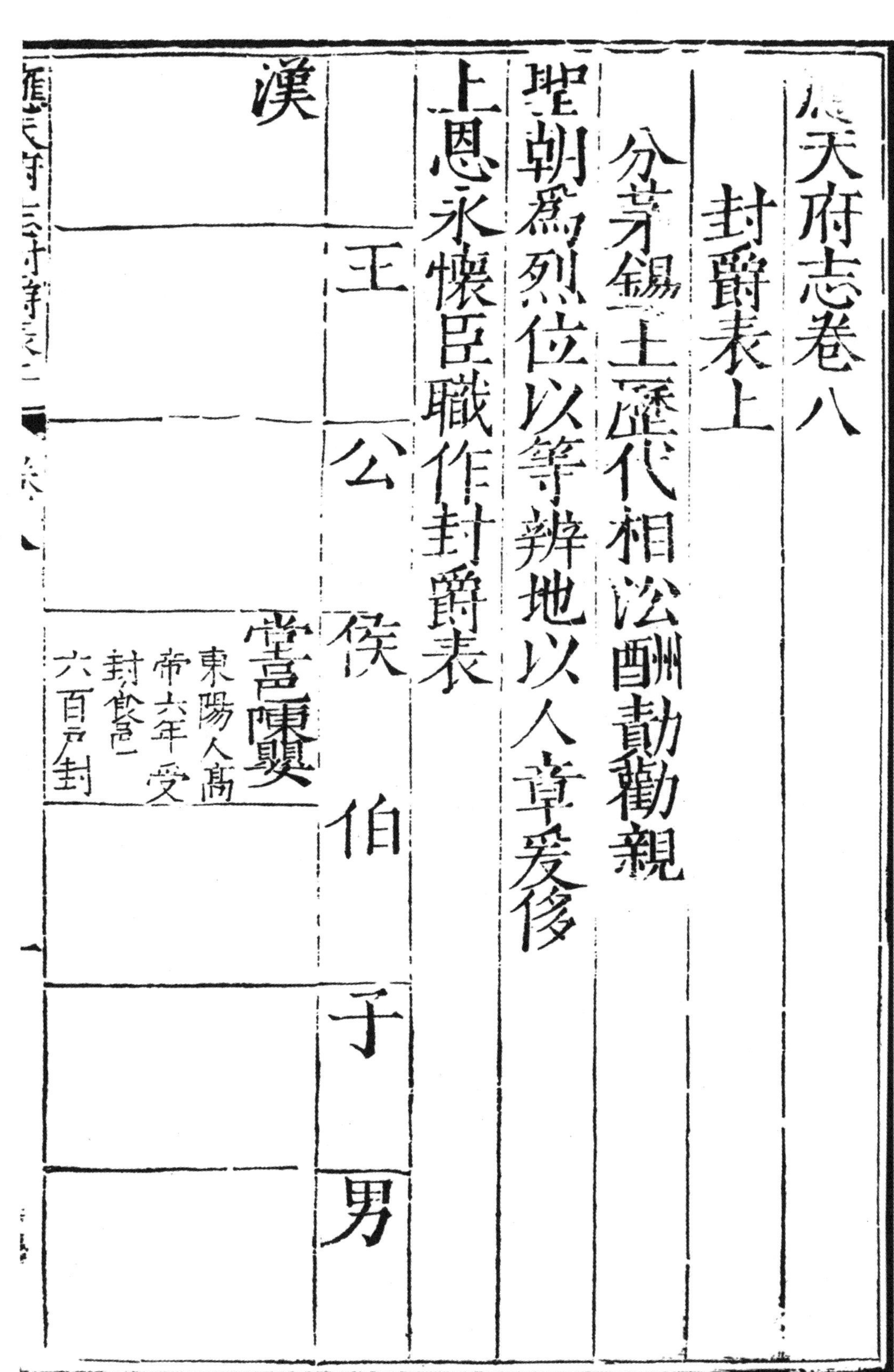

應天府志卷八

封爵表上

分茅錫土歷代相沿酬勳勸親
聖朝爲烈位以等辨地以人章爰侈
上恩永懷臣職作封爵表

	王	公	侯	伯	子	男
漢			堂邑 陳嬰 東陽人高帝六年受封食邑六百戶封			

六年薨謚安

見史記漢書功臣等表下同

祿

嬰子高后五年嗣十八年薨謚共

午

祿子文帝三年嗣尚帝館陶公主武帝立其女爲皇后四十八年薨謚夷

季須 午子元光六年嗣十三年爵除

句容劉黨 長沙王發子元光六年封二年薨謚哀無後國除

丹陽劉敢 見漢書王子侯表下同

江都王非子元朔元年封六年薨謚哀無後國除

湖孰劉胥行 江都王非子元朔元年封十六年薨謚頃

聖 胥行子元鼎五年嗣免國除

秣陵劉纏

江都王非子元朔元年封十五年薨謚終無後國除

溧陽侯劉欽 梁王定國子建昭元年封

畢 欽子嗣免國除

溧陽侯崇 杜陵人建武中封謚

壯 以下金陵志

顥 崇子嗣

茅 顥子元初三年嗣謚貞

洽 茅子嗣

澤 嗣

鉉 嗣改封蘭山

[illegible]

漂陽潘璋　發干人獻帝時受孫權封　吳志

漂陽矦　見下

丹陽孫亂　吳主權再從弟權追錄其父功封無子　吳志

弟睇　亂弟嗣後爵除

吳	晉
	江寧陸曄 吳人咸和四年以平蘇峻進爵 金陵志
永平何洪見下 邈 溧陽何蔣見下	丹陽孫楷 吳人嗣臨成侯咸寧二年來降以車騎將軍封 吳志 秣陵戴淵 廣陵人以功賜爵後

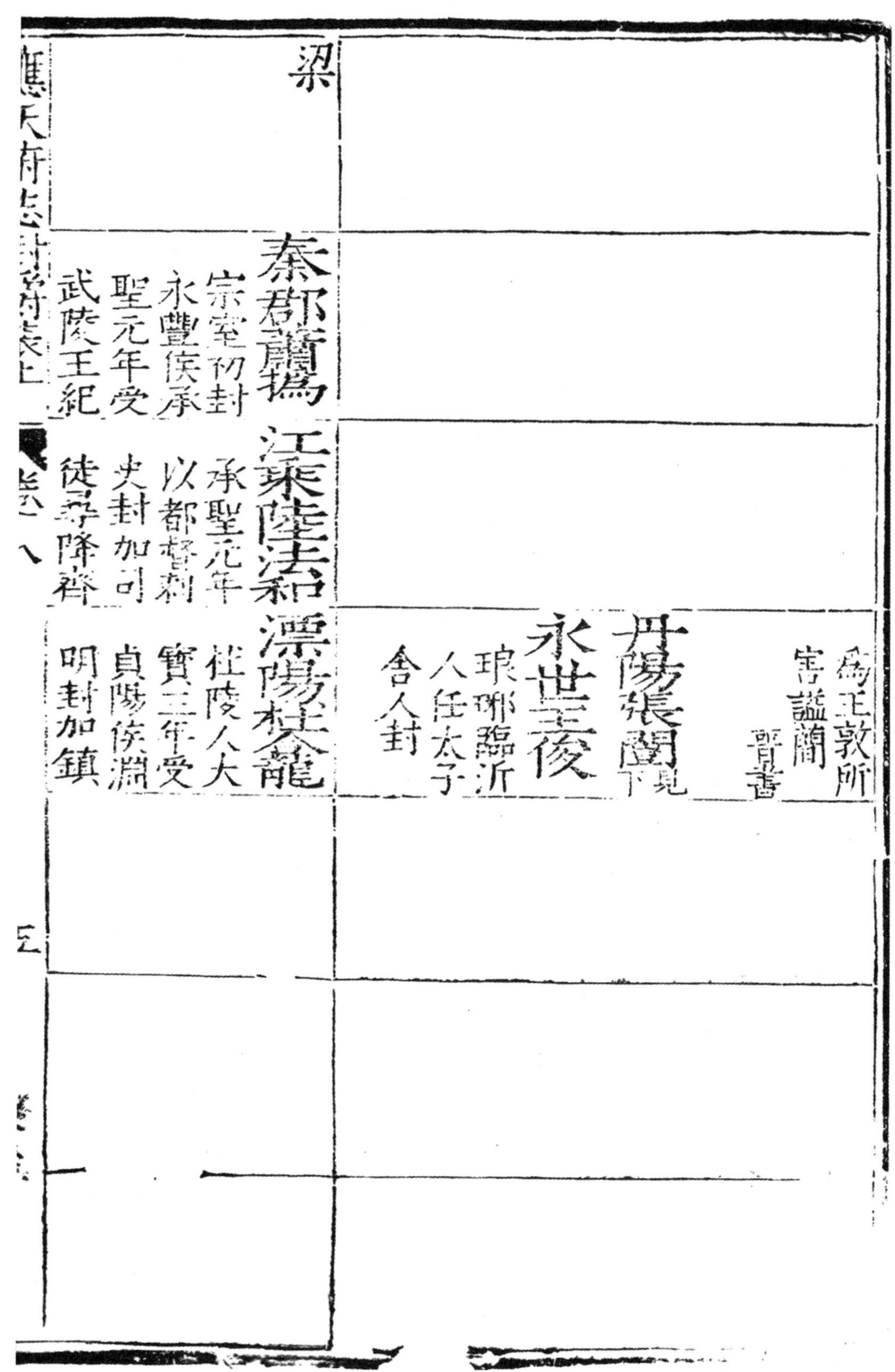

爲王敦所害謚簡 晉書

丹陽張闓見下

永世侯

琅琊臨沂人任太子舍人封

梁

秦郡蕭撝

宗室初封永豐侯承聖元年受武陵王紀

江乘陸法和

承聖元年以都督刺史封加司徒尋降稱

溧陽杜龕

杜陵人大寶三年受貞陽侯淵明封加鎮

封邑三千戶以下俱本傳	魏
東大將軍以叛誅	丹陽劉昶 宋宗室秦和平六年封
	丹陽元晏隆 魏宗室來降歷刺史改封彭城
	秦郡宗愛 宦者正平元年在瓜步封後進馮翊王再行弒逆伏誅

唐

五代

丹陽蕭贊 梁宗室叛降永安二年封累官太尉尋走死

丹陽蕭寶夤 梁宗室來奔景明四年任東揚州刺史封號齊王以反誅

溧陽史淨滋 見下

蔣李從鎰 南唐主璟子封國公煜立進封鄭王

溧陽史務滋 見下

五代史
鍾岑建勳 南唐主璟時以司徒賜號 金陵志

宋

昇受益

真宗子天禧二年以金陵尹充建康軍節度管內觀察處置等使進封壽春郡王

金陵吳瀚 見下
金陵吳濬 見下

建康魏良臣 見下
建康秦堪 檜孫 高宗時封郡侯
金陵吳瀚

溧陽錢時敏 見下

溧水吳濬
溧陽李韶 見下
溧水吳濬

尋立為皇太子改名禎後即位廟號仁宗　宋史

元

建康秦檜　紹興二十五年封郡王尋死後追奪王爵改謚繆醜　續綱目

金陵吳潛

溧陽王左都祭容米兀兒

居玉里伯里山因以容帖木兒普

句容趙鑑　見一

爲氏至順二年以曾孫燕帖木兒追封

昇圭哈

追封延國公諡武毅進句容王至順元年以孫燕帖木兒加贈

句容牀兀兒

初封容國公至大二年進封至順二年以

化

任建康牧馬户達魯花赤以子阿魯忽都贈榮禄大夫大司徒上柱國追封國公

子燕帖木兒加贈楊王

答里麻兀思孫襲 以上元

大明

溧陽聰鎮 代恭王子

江寧慶燫 趙莊王子 謚恭懿

句容憲[illegible]

遼莊王子 尋嗣王	
南淳談璣	
韓王子	

金陵志成周封爵有吳越楚唐有吳王杜伏威楊行密齊王徐知誥是邦雖嘗隸之然非專封也張昭侯婁韓當侯石城孫譙侯永安顏真卿子丹陽迴昔方輿當麗松江寧國湖州鎮江諸郡溧陽志孫洪封永平六合嘉定志司馬亮封堂邑浙安鄉史俱無攷故缺之

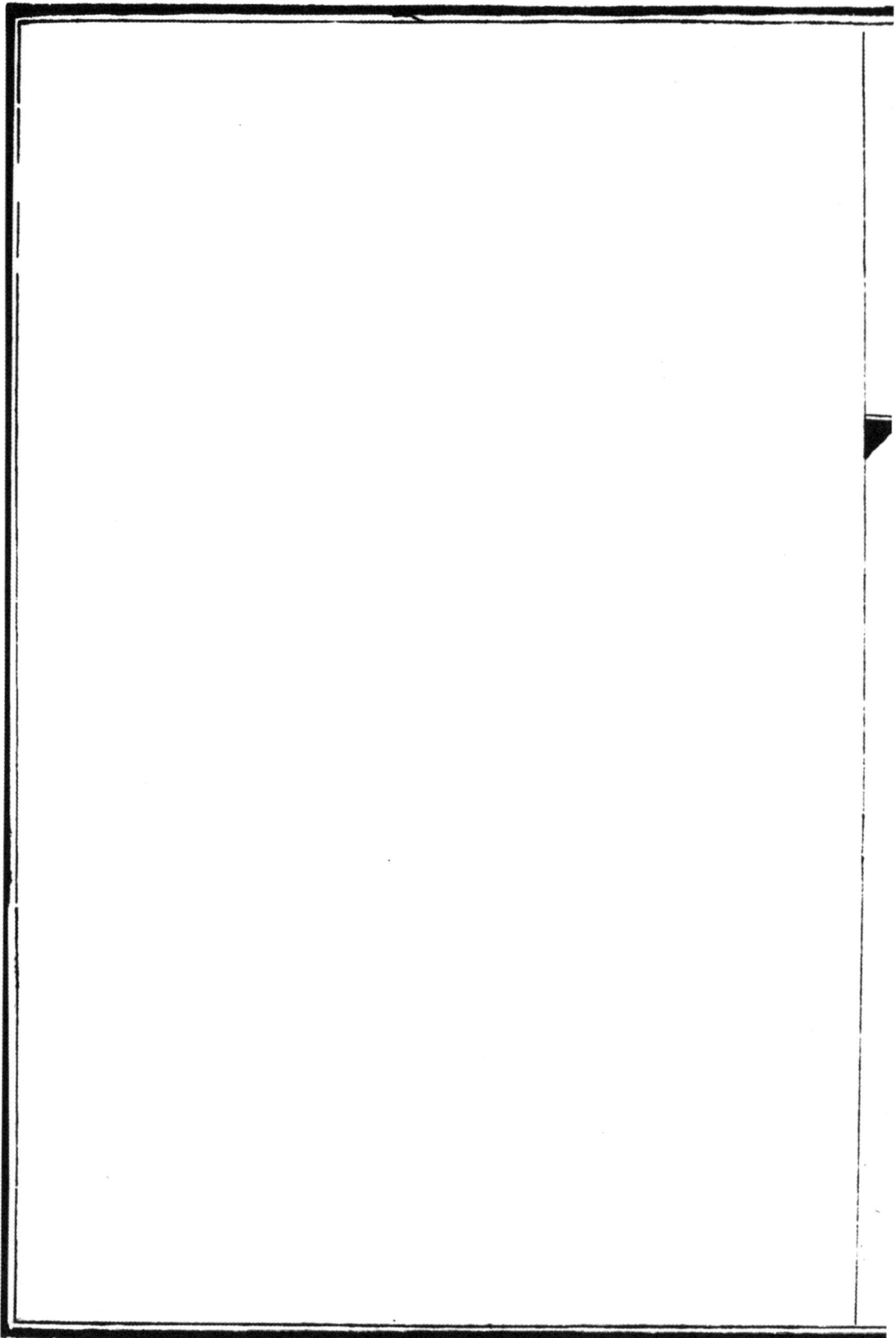

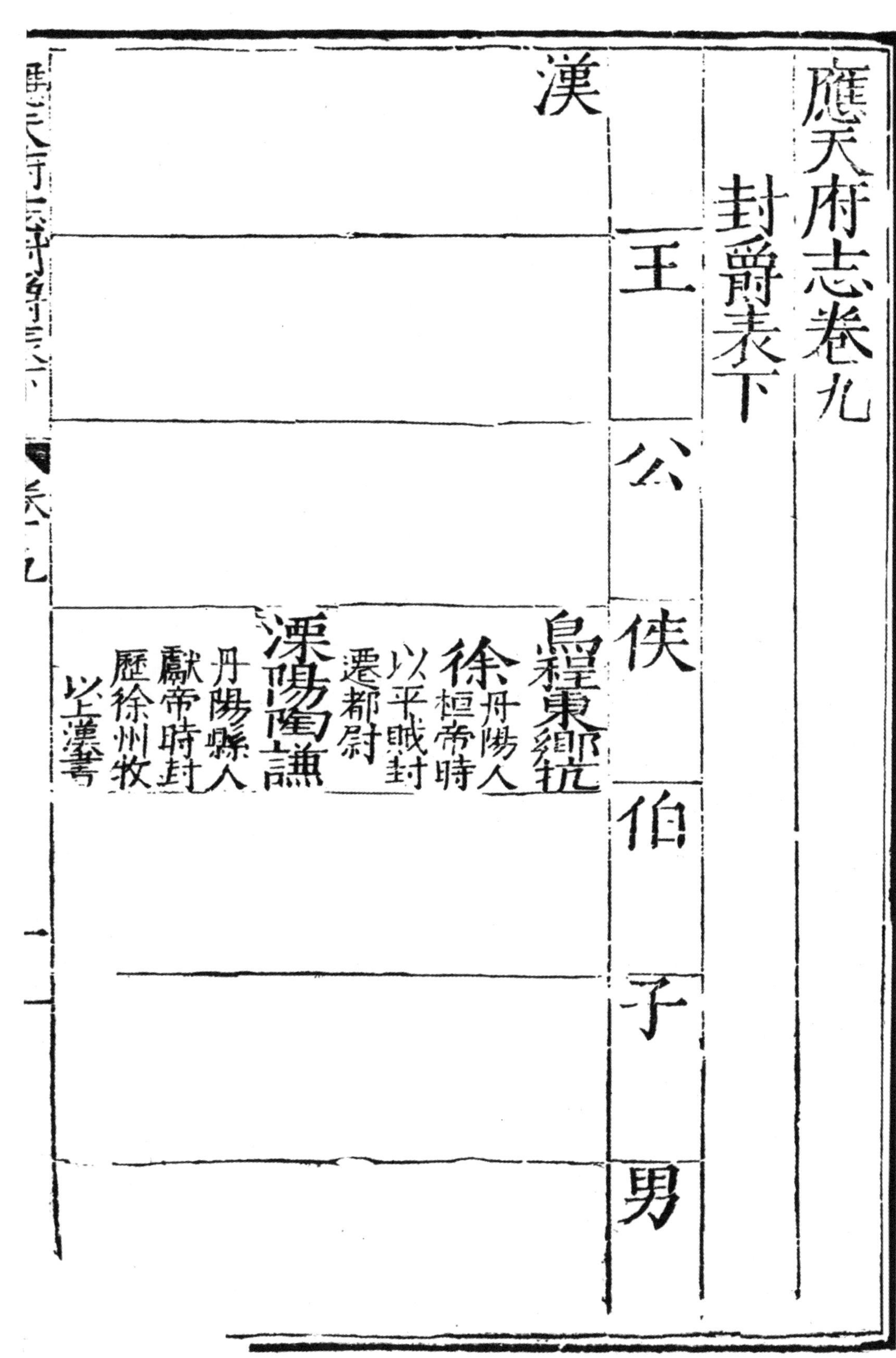

應天府志卷九

封爵表下

漢	
王	
公	
侯	臯東鄉抗　徐丹陽人桓帝時以平賊封遷都尉 溧陽陶謙丹陽縣人獻帝時封歷徐州牧 以上漢書
伯	
子	
男	

吳

溧陽芮玄 丹陽人吳主權封

永平何洪 句容人吳主皓母昭憲后之弟永安六年皓立以后故封

邈 洪子嗣爵為監軍

溧陽何將

洪弟永安六年同洪封

宣城何楨

將弟永安六年同將封累官大司徒

以上舊志

撫陵史嵩

溧陽人歷中郎將

陽羨史韶

溧陽人任屬國都尉以上金陵志

晉

宛陵陶璜 秣陵縣人歷刺史

康樂陶回 秣陵人以破韓晃功封遷征虜將軍

臨湘紀瞻 秣陵人初封都鄉侯以討陳敏功進封縣侯謚穆

汪 回之子嗣爵

宜陽張混 闓之子嗣伯爵

友 瞻孫嗣爵歷廷尉

以上晉書

安陽韓熹

丹陽人以佐翼勳賜爵縣侯後改宜陽伯

關內葛洪

句容人元帝以平賊功賜爵

以上晉書

秣縣史淵

溧陽人任太守封

當要史諒

溧陽人以討蘇峻封山陰史憲

溧陽人任太守

始興亭劉係宗丹陽人元徽初封歷寧朔將軍

宋

齊

新陽[illegible]長

建元[illegible]

始安淳于量	南平吳明徹
建康人梁謝沐縣侯光大元年進封醴陵縣公大建五年又進郡公	泰郡人以功封新安侯天嘉五年進公爵大建五年進郡公歷司空侍中
汝南吳起	邵陵吳惠覺
泰郡人以功封縣侯贈州刺史謚節	明徹子以功累官刺史至德元年嗣郡開國侯

唐

溧陽史牟滋 溧陽人 金陵志

潁川許儒 句容人以弘文館學士封縣男 唐書

溧陽史務滋 溧陽人景龍四年任侍中

宋

襄國李琮 江寧人歷上柱國封隴西郡開國侯追封

建康魏良臣 溧水人歷參知政事贈光祿大夫追封郡伯

溧陽錢時敏 溧陽人權兵部侍郎封縣開國

隴西李回 江寧人封縣開國男累官參知政事

國公　宋史下同

開國侯謚敏肅　宋史

金陵志

金陵吳淵

溧水人以觀文殿大學士封金陵侯復進公爵拜參知政事贈少師

義烈蔡鉅

江寧人嘉定十五年以死節追封溧水七三年加封顯節

許國吳濟

溧水人嘉熙三年封縣開國男淳祐四年

[illegible]宋史

溧陽[illegible]

溧陽人封縣開國男

金陵志

大明	元	
		進封子七年進金陵侯十一年進公開慶元年進崇國慶國改今封
頴國楊洪 六合人累官左都督	英烈闞文興 建康人至順二年以死節追贈	
昌平楊俊 洪子嗣侯爵		
溧陽紀廣 句容人以功歷右都		
丹陽孫炎 句容人國初以死	句容趙鑑 溧水人追封縣男	

正統十三年以禦胡功封昌平伯食祿千石十四年進封侯景泰二年賜世券加鎮朔大將軍追封國公謚武襄名臣錄

阜國王鎮 上元人
純皇后父歷都督同知弘治五年

俊 傑庶兄以功歷左都督嗣爵

珍 俊子嗣爵今世指揮使

彰武楊信 六合人都督同知總兵官天順四年以禦胡功封伯賜世券食祿千石成化十三年贈侯謚武毅

督景泰中追封謚僖順

武強楊能 六合人左都督鎮朔將軍天順元年以禦胡功封食祿千石無子今世指揮使

彰武楊瑾 信子嗣伯爵

節追封

加贈諡康穆吾學編下同

瑞安王源 鎮子嗣都督成化二年封伯弘治五年進封累加太傅食祿千石贈太師諡榮靖

安平方銳 江寧人嘉靖十九年以皇后父封伯二十一年進封祿千石

吾學編

質 璵子嗣爵宣府志

儒 質子嗣爵

炳 儒子嗣爵歷掌左府兩京後府總督京營

崇善王清 源弟仕都督同知弘治十年封

禄千石

安仁王濤

清弟任左都督正德二年封禄千石

瑞安王橋

源子嗣俱桓濤子嗣爵

慶陽夏儒

上元人毅皇后父任

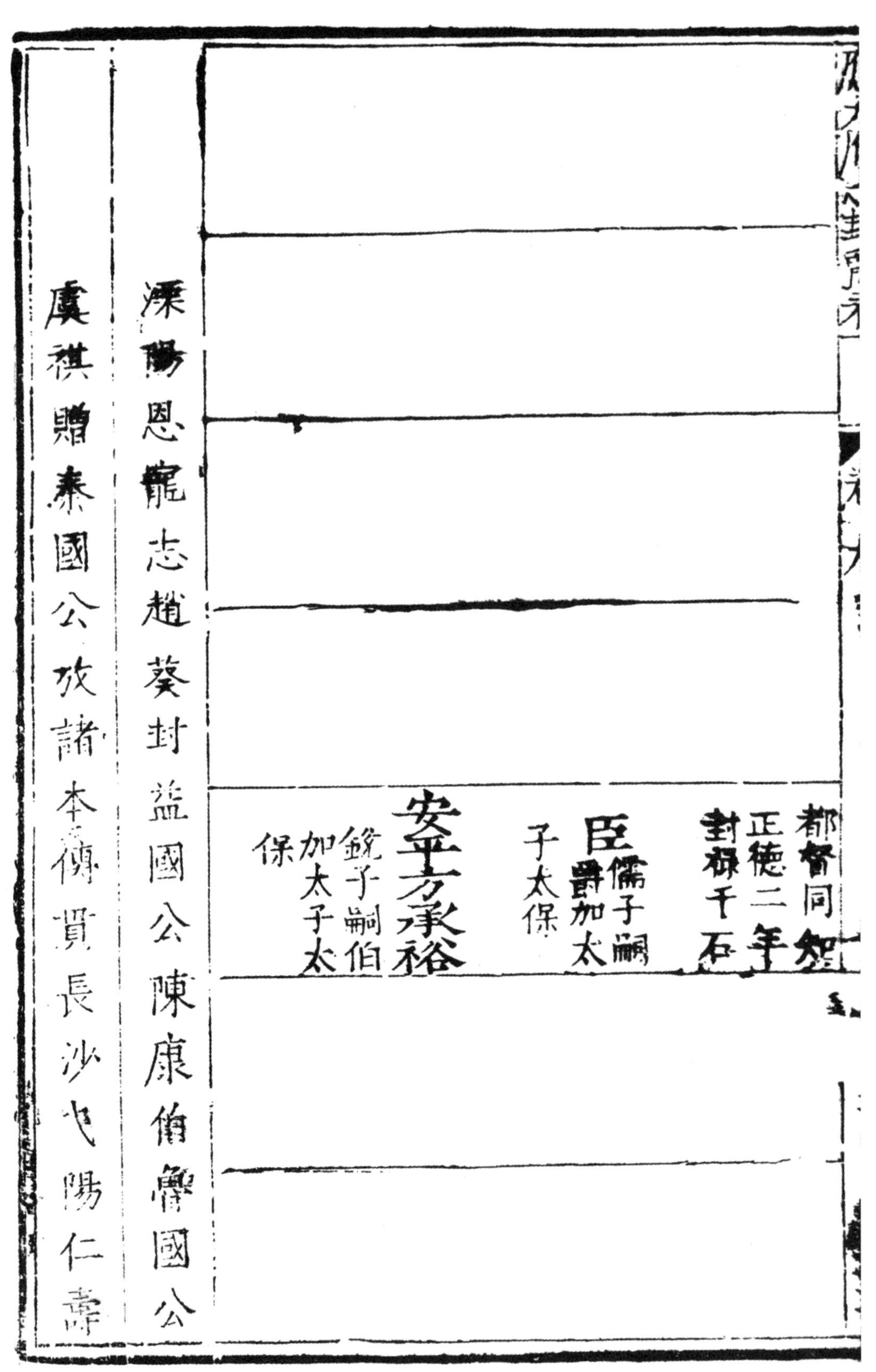

都督同知正德二年封祿千石

臣儒子嗣爵加太子太保

安平方承裕銳子嗣伯加太子太保

溧陽恩寵志趙葵封益國公陳康伯贈魯國公

虞祺贈秦國公攷諸本傳貫長沙弋陽仁壽

一統賦註淮南王英布十國紀年吳王楊行密吾學編湖廣總志永嘉侯朱亮祖俱爲六合人盖緣英山合肥六安誤也兹不復著云

論曰古昔聖王制御海内統一群黎列位五等之爵豈徒榮之而已哉以所覆赤子付賢能者而共理之故不出戶牖而化馳若神繇此道也後世之封爵異矣漢諸侯王惟衣食租稅魏晉而降徒寄空名于兹土耳然國家以此策勳而士之志功名者亦以此聲施後世即表中所列同姓恩澤亡論

已其餘皆一時卓犖之士乘時際會以取功名斯亦足尚也哉

應天府志卷十

科貢表上

設官分治匪賢弗庸側陋是揚鄉諧斯寄爰制科貢登崇俊良惟德惟能由兹而進作科貢表

	府學附郭上江元各衛
唐	進士
開元十五年	王昌齡江寧令從唐書秘書郎

冷朝陽 上元年無考

宋

進士

	進士
太平興國八年	洪湛 上元知州事
慶曆二年	李琮 江寧戶部侍郎
熙寧三年	葉祖洽 上元狀元
元祐三年	朱紹遠 上元虞曾孫
	李田 琮子參知政事

紹聖元年	朱明遠 [illegible]曾孫
崇寧二年	侍其瑪 江寧
五年	刁湛 上元太常博士
	刁湜
政和二年	俞迎 上元
四年	陳鷴 上元
五年	范同 上元參知政事
八年	刁渭
宣和三年	鍾大方 上元

年	人		
	秦梓 江寧從金陵志朝奉大夫		
六年	何若 上元		
	刁繹 湛子		
	洪咼 湛子員外郎直史舘		
建炎二年	吴㬋 上元		
	趙震 上元		
紹興五年	王綸 上元大學士同		

	刁約（知樞密院湛子直史館）
十二年	魏元若（上元）
十五年	李珵（上元）
十八年	鮑慎履（上元）
	鍾離松（江寧）
二十四年	葛掞（上元）
二十七年	陳自修（上元）
	段拂（年無考 出金陵）

志

隆興元年	國華 上元
乾道二年	李機 上元
五年	朱用泰 上元
淳熙八年	何掞 上元
紹熙元年	戴錡 上元
四年	孔蓋 上元
	李大同 上元
	李岩 上元

慶元五年	汪瀛上元
嘉泰二年	卞伯光上元
	胡景愈上元
	成澧上元
嘉定四年	王晉上元
	鄭南上元
七年	朱應龍上元
十年	陳塤上元禮部第一
十三年	楊成大上元

十五年 紹定五年	淳祐元年
沈先庚上元 許思齊上元 元宋興上元 包秀實 陳仲謀 吳季申俱知縣年無考出金陵志	胡景龍上元

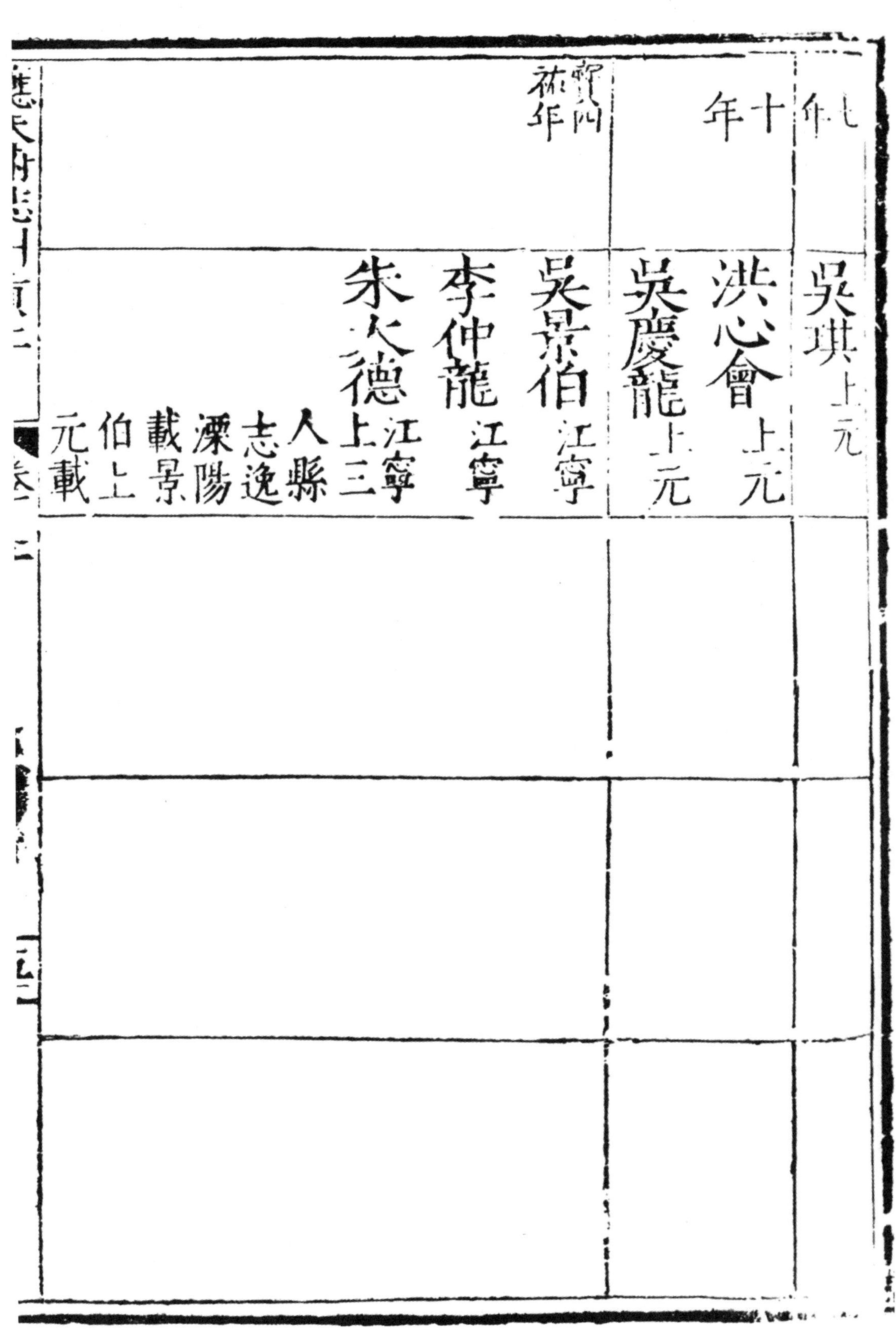

七作

吳琪 上元

十年

洪心會 上元

吳慶龍 上元

寶祐四年

吳景伯 江寧

李仲龍 江寧

朱大德 江寧

上三人縣志逸溧陽載景伯上元載

仲龍攷登科録正之

開慶元年

張震龍上元

平天祐

景定二年

趙定上元金陵志云景德二年

董烈知州事

房元龍軍節度判官

元

至元順年

進士

李鑒屯田分司

趙崇田知縣事

楊公溥上五人年無考出金陵志

李懋鑒孫縣丞出金陵志

趙旦定孫年無考

大明	進士	舉人	歲貢題名缺年	恩蔭附年缺
洪武十七年		陳恭江寧尚書	朱學士侍郎	
二十六年		俞允春秋魁見進士	王覞僉事	
二十七年	俞允江寧		乙瑄郎中	
二十九年		陶鎔江寧 李崇江寧 趙麟江寧 于源上元 張欽上元	顧爾行主簿 許紳訓導	
靖革除年				

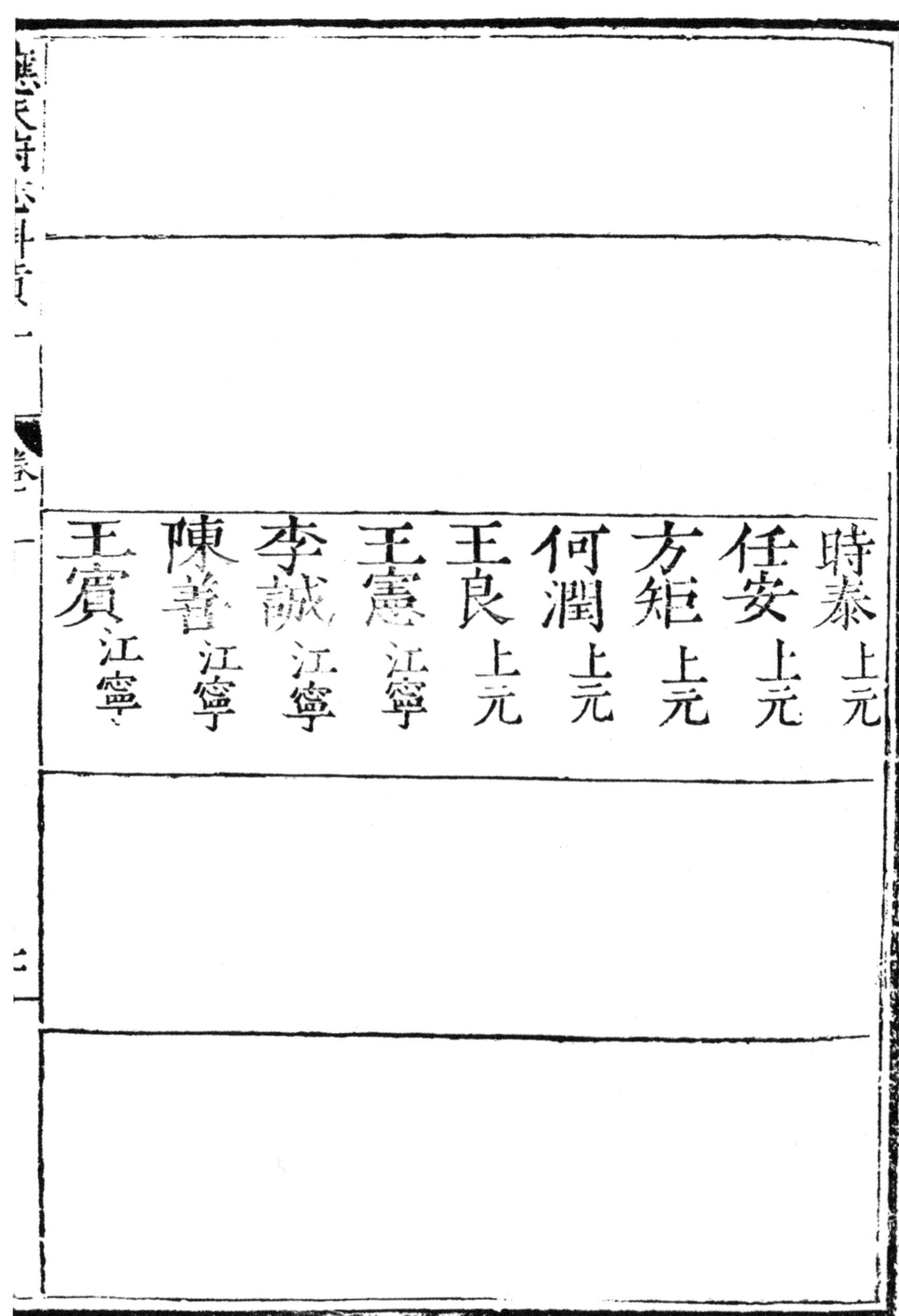

時泰 上元
任安 上元
方矩 上元
何潤 上元
王良 上元
王憲 江寧
李誠 江寧
陳普 江寧
王賓 江寧

永樂元年

吳觀見江寧
王仲壽解元見進士
遲讓上元
曹廣見進士
范進江寧
卞安江寧
嚴璐上元
楊勉見進士

王賔知縣
李義知縣
鍾祥訓導
顧鑑
張祺見舉人
俞巽訓導

	二年	三年
	楊勉 江寧侍郎 王仲壽 江寧參政 丁璿 上元都御史 曹廣 江寧	
謝濟 上元 丁璿 見進士		唐彬 江寧知縣 王皋 上元 趙益 見進士

沈維 江寧
張禎 江寧
盛衍 見進士
邢端 江寧
陳恭 江寧
唐經 江寧

四年

趙益 江寧

六年

姜壽 上元
史循 見進士

九年

盛衍 江寧己丑會試是年廷試

劉璉 見進士

顧敬 上元

虞祥 上元

陽清 見進士

王本 上元

童文 見進士

王正 江寧

莊約 見進士

劉瑄 江寧許寧

	十年	十二年
	陽清上元會魁主事 史循江寧 劉璉江寧侍郎	
鄭撤江寧 劉麒見進士 韓謙江寧		宋拯亞魁見進士 謝鑑上元 任祖壽見進士

朱鎔上元
徐賁江寧
張益見進士
吳名見進士
宋敏江寧
劉敬江寧
徐琳江寧
吳璘見進士
姚堅見進士

十四年

劉麒 江寧

姚堅 江寧

張益 江寧侍讀學士死難贈學士謚文僖

宋掞 江寧長史

童文 上元員外郎

吳璘 江寧

十五年

施誠 江寧

劉江 見進士
徐榮 見進士
尹珝 見進士
馮履 江寧
李輅 見進士

十六年

劉江 江寧一甲第三名編修長史
徐榮 上元
莊約 上元庶吉士郎

十八年

中

馬麟江寧
孫熙江寧
邵瀕江寧
鄧序江寧
達旺見進士
李素江寧
張文昌上元
王俊上元

	十九年	二十一年
	任祖壽上元 李輅江寧	
胡玉見進士 陸彥上元		王政上元[illegible] 梅森見進士 翟英上元 張祺見進士 陳昇江寧

	二十二年	宣德元年
	張褀 江寧御史 尹[illegible] 上元布政使 吳名 江寧 達旺 江寧 胡玉 上元 徐晉 江寧知縣	
蔣勸 江寧		師政 江寧 徐復 江寧
		王芸 訓導 呂英 教諭

四年

黃榮 上元
周永 上元
吳善 上元
雷和 上元
王琮 上元
王麟 上元 提學僉事
沈慶 上元
顧誠 江寧
李瑛 江寧

張仕琛 通判
沈顯榮 訓導
胡鎔 訓導
王璉 訓導

七年

田盛 江寧春秋魁

王良 江寧

談理 江寧訓導

盛璟 江寧

耿純 江寧通判

徐昱 江寧助教

吳政 江寧

顧仲賢 上元訓導

八年

梅森 上元參義

正統元年

陶元素上元

孫本上元長史

陶元素見進士

三年

鄒幹見進士

張信上元教諭

金潤上元知府

倪謙見進士

陳禮江寧

穆棋

都讓

郝賢主事

施禮教諭

四年

倪謙上元一甲第三

陳隆訓導

名南禮部尚書贈太子少保謚文僖

鄒幹 餘杭文敏濟子太子少保禮部尚書出登科録

嚴傑 紀善

六年

莊鑑 江寧郎中

九年

王濬 上元魁提學僉事

沈琮 亞魁見進士

羅瀛 江寧

劉鑑 江寧

金鎬 上元通判

謝溢 上元

任孜 見進士

朱瑛 上元

周欽 見進士

潘鏞 見進士

廿年

孫達 廣洋衛學正

胡寬 禮記魁見進士

陳鉞 江寧

王惟善 見進士

朱華 見進士

相廸 上元知府

童軒 見進士

周清 見進士

蔣敷 順天鄉試

十三年	景泰元年
沈琮旗手衛按察副使 蔣敷江寧太醫院籍郎中 任孜上元知府	
	吳維水軍衛訓導 徐毅見進士 吳璘見進士 俞誠上元
	高仁訓導 霍祐主事 張寶訓導 顧言見舉人
	張翺評事 張翔太僕丞俱文信益之子

石正 江寧教諭
凌文 見進士
簡澄 上元
胡正 上元
王琮 上元教諭
羅瑄 上元按察經歷
錢賔 上元
王璘 見進士
顧俊 江寧知縣

二年

吳璘上元僉事

朱華上元僉事

童軒欽天監尚書贈太子少保

周欽水軍右衛御史

田斌江寧錦衣衛籍

浦鏞見進士

田斌順天鄉試見進士

四年

王惟善 鷹揚衛行人

潘鏞 上元知府

周淸 江陰衛御史

潘傑 亞魁見進士

羅麟 江寧參議

鄒和 見進士

江傑 江寧知縣

莊瀓 見進士

侯廣 江寧同知
宋貞 見進士
吳理 上元
羅淮 見進士
姚恒 上元
龍晉 見進士
鄧震 上元
方璟 上元知州
沈瓚 上元知州

葛贇上元

金紳見進士

徐禮上元知州

強英上元教諭

高敬上元知縣

林洪上元教授

施靖上元待詔

費鏞上元訓導

劉瑀金吾衛知縣

五年

浦鏞上元知府

羅綱留守衛知州

蔡琮水軍衛知縣

李應禎太醫院南太僕少卿

羅寧水軍衛

雍熙豹韜衛知州

盧雍見進士

蔣敵順天鄉試

龍普水軍右衛知府

潘傑上元郎中

徐毅上元會亞魁僉事

胡寬天策衛御史

羅淮江寧參政

蔣敵江寧太醫院籍太僕卿

王璘犧牲所副使

七年

金紳 潤之子 侍郎

貝春 江寧易魁知縣

李慶 亞魁見進士

邰傑 江寧知縣

沈鍾 見進士

王徽 見進士

王玉 錦衣衛

鮑壎 上元知縣

鄭禮 江寧知府

周昌裔太醫院知州

徐瀌錦衣衛

周源見進士

宋讓江寧知縣

甯璉太醫院通判

王浩見進士

徐曦江寧教諭

曾轍水軍衛知縣

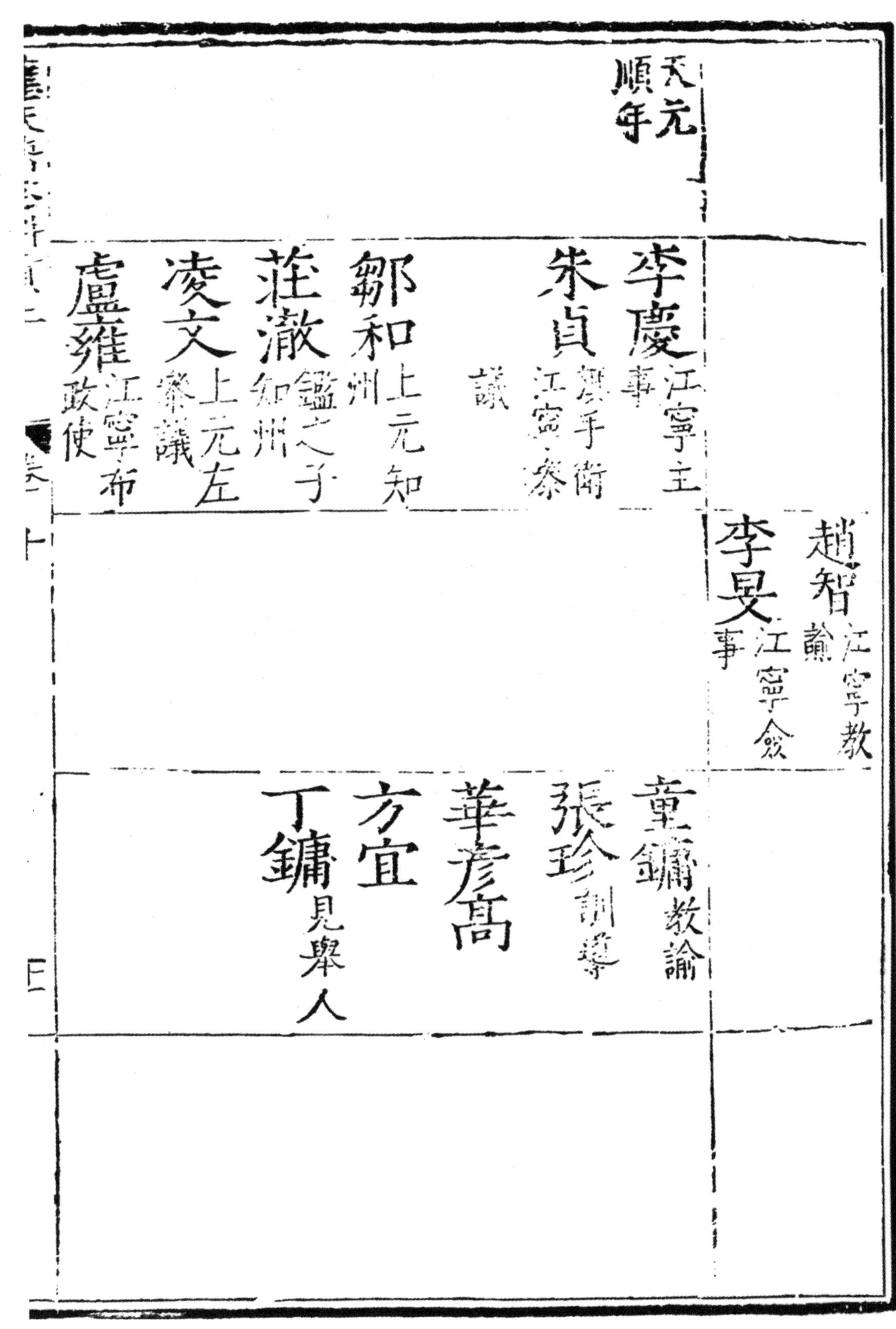

天順元年

李慶 江寧主事
朱貞 留守衛江寧人參議
鄒和 上元知州
莊瀓 鑑之子知州
凌文 上元左參議
盧維 江寧布政使

趙智 江寧教諭
李旻 江寧僉事

童鏞 教諭
張珍 訓導
華彥高
方宜
丁鏞 見舉人

三年

顧言 禮記魁

任恍 江陰衛

李穆 虎賁左衛

易謙 江寧長史

李秉衷 見進士

徐完 見進士

歐陽榮 江寧知府

婁俊 金吾前衛江寧

莊琳 旗手衛知縣

四年

王徽 錦衣衛江浦給事中左參議

金澤 見進士
唐寬 見進士
任讓 錦衣衛
顧鑑 江寧教諭
童紳 江陰衛江寧
張福 江寧

六年

沈鍾上元提學副使

任彥常解元見進士

張華上元知州

徐震上元知州

陳鏡大醫院通判

李昌隆江寧同知

蘇鏞留守衛教諭

李昊見進士

陳瓛欽天監教諭

八年

周源上元員外郎

陳紋見進士

張瑛江寧府同知

沈浩順天鄉試見進士

孫義順天鄉試見進士

倪岳萬全都司籍順天鄉試見進士

成化元年

倪岳 謙之子太子少保吏部尚書贈少保諡文懿

孫義 太醫院籍上元運使

張玘 錦衣衛籍按察使

俞欽 江寧魁知縣

蔣誼 見進士

顧謙

姚玘 訓導

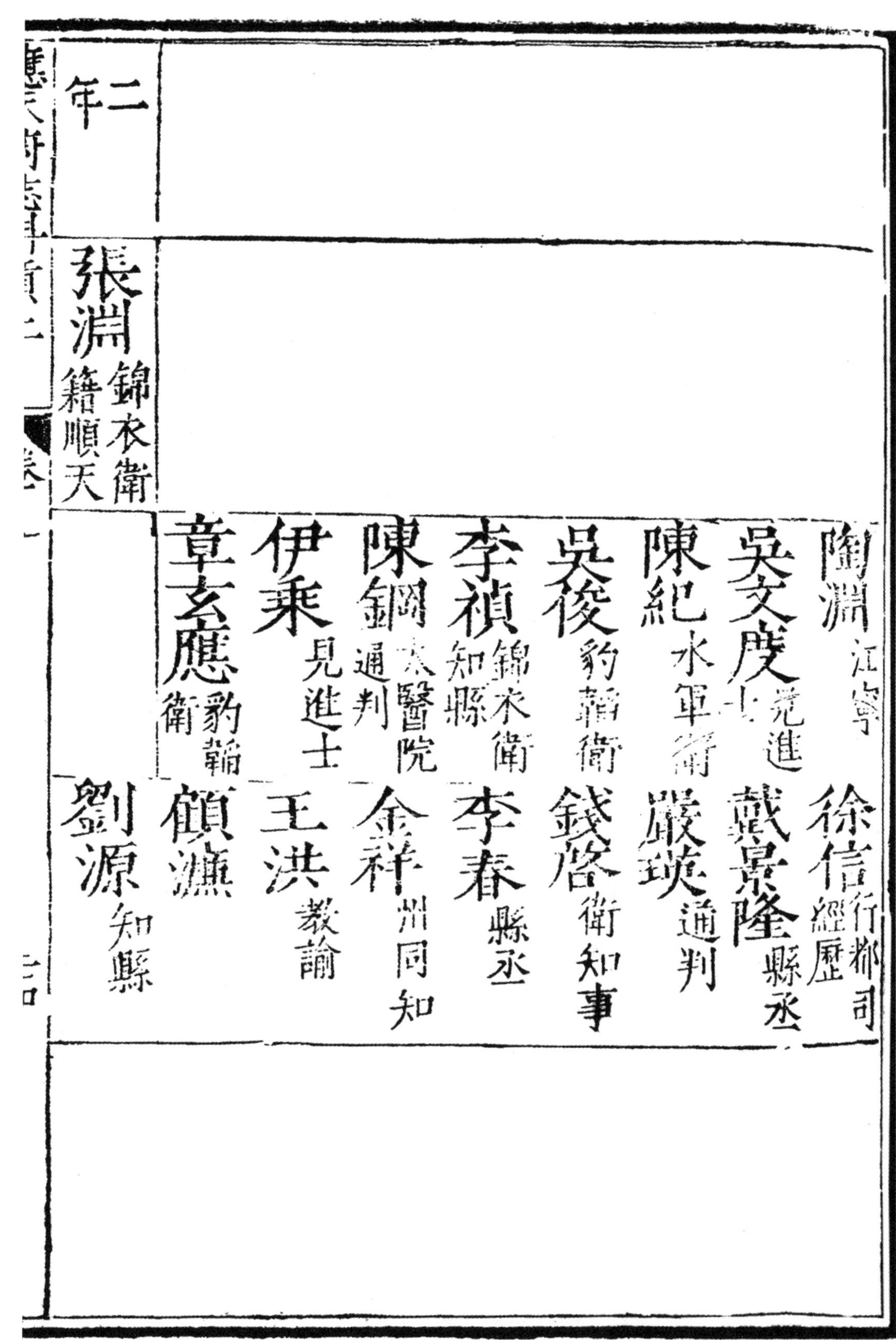

二年

張淵 錦衣衛籍順天

陶淵 江寧

吳文度 見進士

陳紀 水軍衛

吳俊 豹韜衛

李禎 錦衣衛知縣

陳鋼 太醫院通判

伊乘 見進士

章玄應 豹韜衛

徐信 行都司經歷

戴景隆 縣丞

嚴瑛 通判

錢啓 衛知事

李春 縣丞

金祥 州同知

王洪 教諭

顧瀌

劉源 知縣

亞魁江寧

徐完 顯之子僉事

唐寬 上元知州

王浩 上元庶吉士御史

沈浩 錦衣衛籍上元主事

金澤 江寧右都御史

蔣誼 太醫院句容南

沈庠 見舉人

陸秀 教諭

陸厚 州判官

曹定 訓導

樊誠 衛經歷

郭晉

馮讓 教諭

鄭思誠

梁堅 推官

四年

御史

鄧存德 詩魁見進士
俞經 亞魁州學正見進士
朱鴻 水軍左衛
沈鎧 見進士
魯昂 見進士
俞雄 見進士

董萱 伴讀
賀至一 訓導
楊鐸 縣丞
陳義 部照磨
楊茂 訓導
廿應奎 訓導
史昊 京衛經歷
鍾山
王惟德 教諭

金源 見進士

丁鏞 見進士

王欽 見進士

張鑑 見進士

姚源 上元

莊溥 見進士

顧景昌 江寧衍府

沈庠 順天鄉試見進士

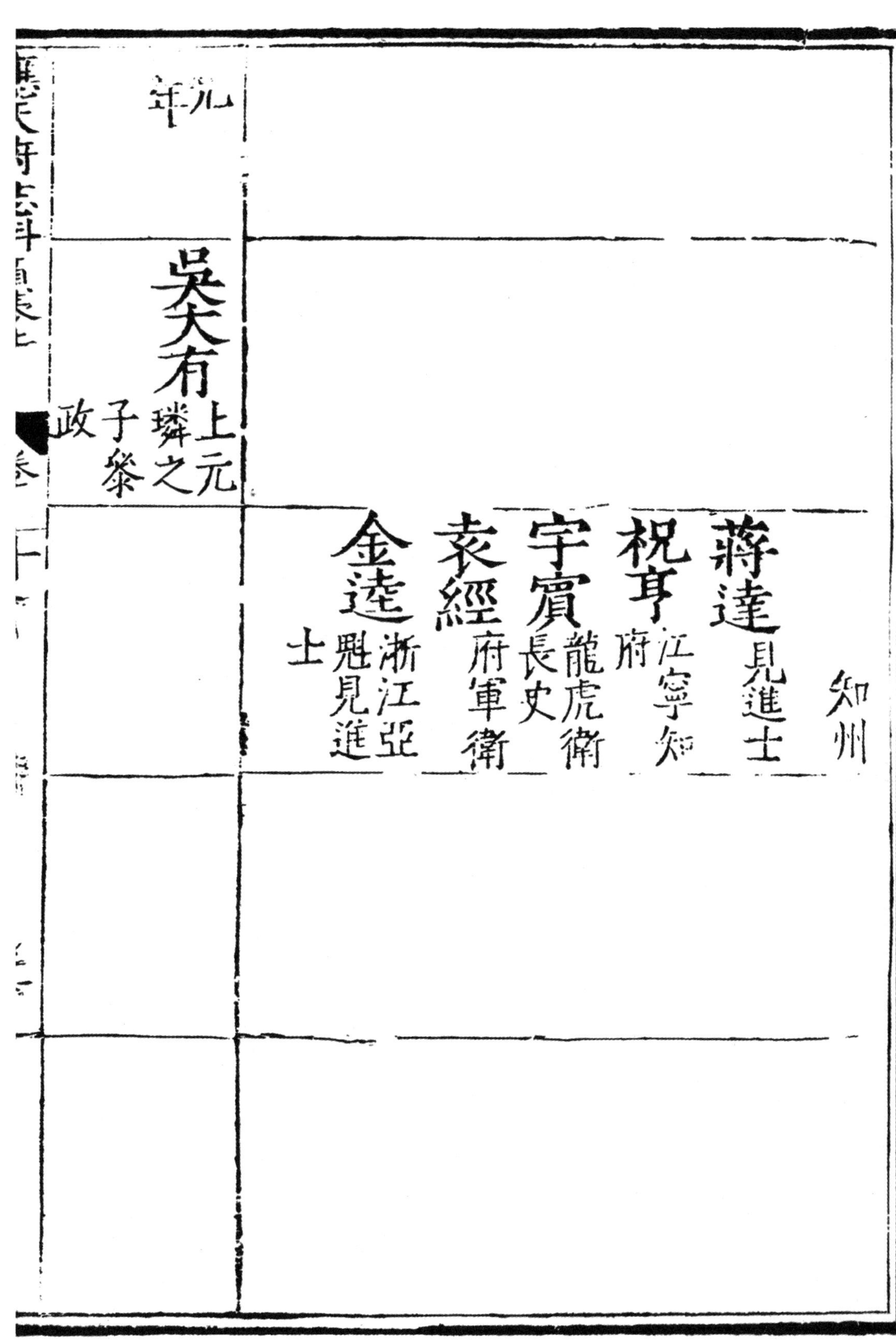

九年

吳大有 上元璘之子叅政

知州

蔣達 見進士

祝聿 江寧知府

宇賔 龍虎衛長史

袁經 府軍衛

金達 浙江亞魁見進士

高節上元左參政

龍霓牧馬所會魁僉事

金逵澤之子僉事

李熙昊之子御史副史

羅鳳水軍右衛上元知府

楊溥留守後衛知縣

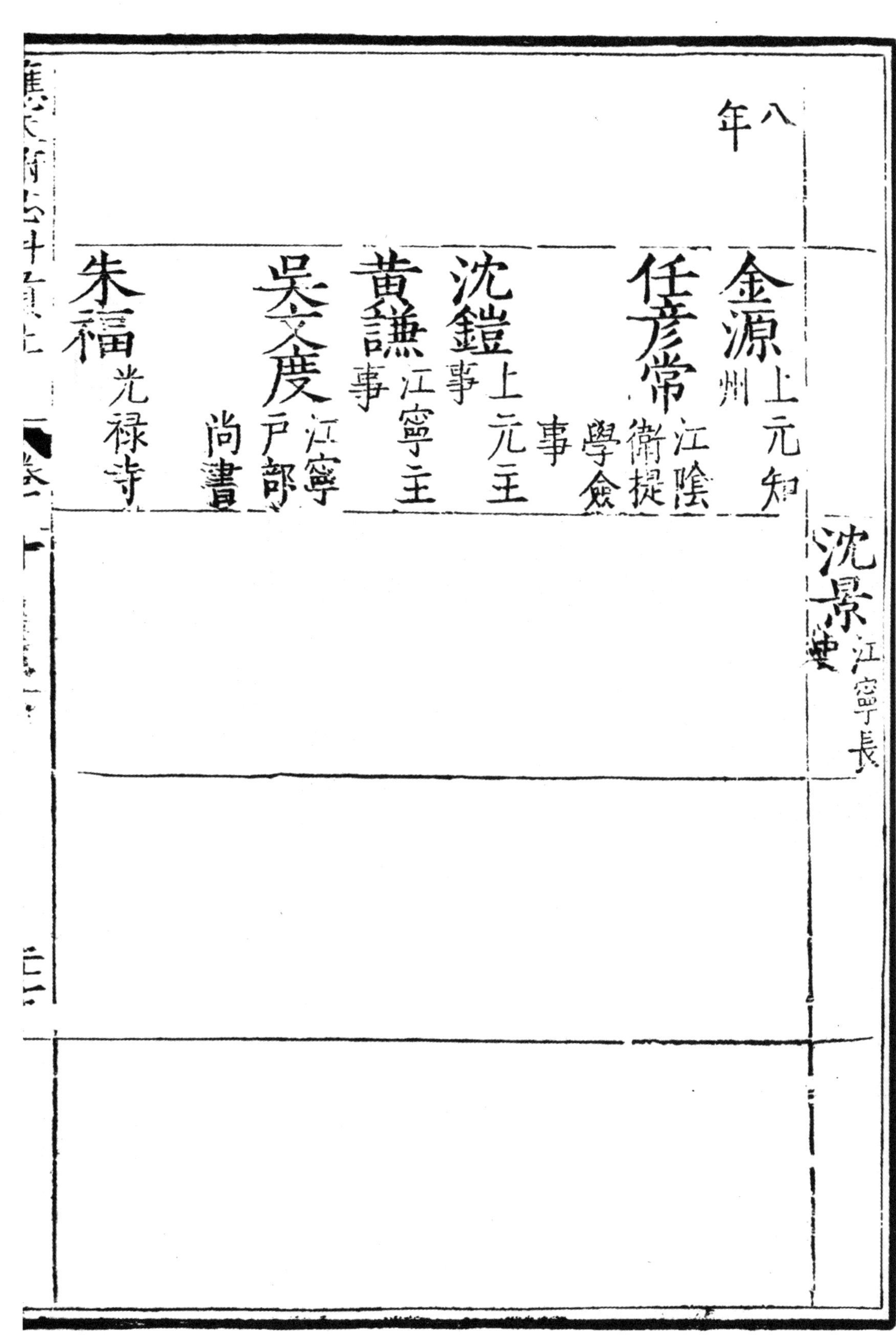

八年

金源 上元知州

任彥常 江陰衛提學僉事

沈鎧 上元主事

黃謙 江寧主事

吳文度 江寧戶部尚書

朱福 光禄寺

沈景 江寧長史

張廷綱 江寧直隸永平衛籍

十年

徐欽 見進士

王鑨 犧牲所

王勛 江寧知州

王朴 上元

徐濂 欽天監

魯達 京衛

王譙 江浦通判

	十一年	十二年
	俞經 留守左衛知府 姚鷩 錦衣衛知府	
陳滎 上元知縣 姚蕭 上元知府		芮鑑 溧陽春秋魁府同知 李用文 京衛亞魁鹽運同知 林芳 江寧復姓吳知

州

沈智京衛

沈希達上元復姓朱通判

周郁京衛

陳言見進士

梅純見進士

朱大用京衛推官

施堯臣靖子通判

應天府志科貢上　卷二　三

十四年

徐瑶 見進士

[illegible]鈇 上元知府

伊乘 上元僉事

曹玉 江寧副使

王進 上元知縣

陳紋 上元推官

張鑑 府軍衛郎中

十六年

蔣浤 見進士

虞賓 溧陽

劉子順京衛
潘珩上元府同知
金麒壽見進士
徐雲上元
湯佐京衛
梁德宏金吾衛
熊宗德見進士
王敞見進士
童瑾京衛

十七年	
胡璟江寧知府 吳彥華留守後衛	
	鄧澤震子通判 吳彥華見進士 胡璟見進士 錢鑑江寧 王世禎京衛 倪阜順天鄉試見進士

句容左布政

沈庠 上元提學副使

王敞 錦衣衛會魁太子少保兵部尚書

梅純 孝陵衛知縣

熊宗德 錦衣衛江寧知縣

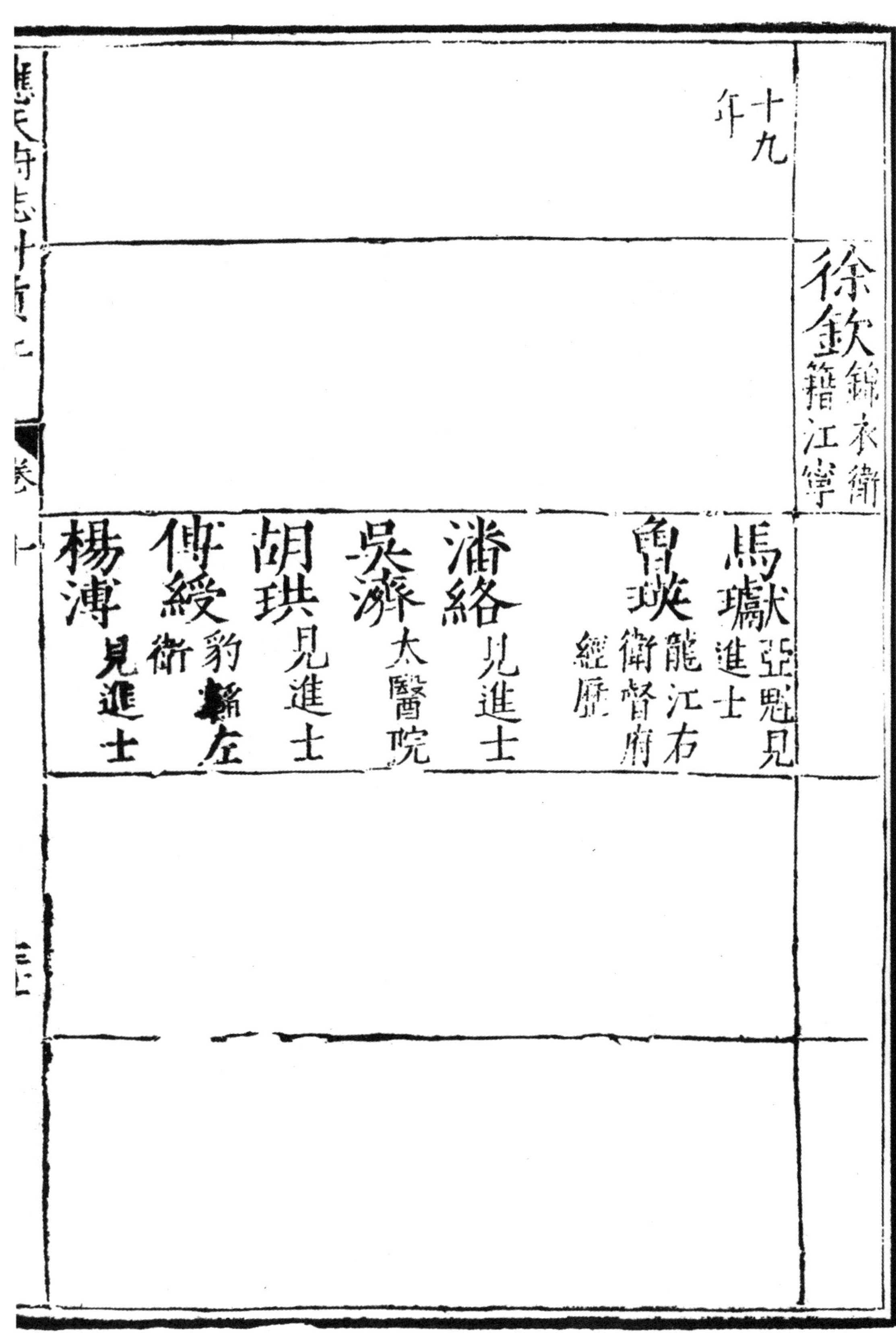

十九年

徐欽 錦衣衛籍江寧

馬瓛 亞魁見進士

曾瑛 龍江右衛督府經歷

潘絡 見進士

吳瀚 太醫院

胡珙 見進士

傅綬 豹韜左衛

楊溥 見進士

夏聰 上元

趙淮

張志淳 雲南解元

二十年

張志淳 江寧金齒衛籍戶部侍郎

馬獻 錦衣衛員外郎

俞雄 留守前衛太常丞

二十二年

非濤 江寧宗人府經歷

陳言 上元

潘絡 欽天監主事

陳鎬 解元見進士

張琮 見進士

鄒禮 江寧知縣

徐夢麒 江寧知縣

顧潤 上元教授

二十三年	
陳欽 欽天監提學副使	
	陳欽 見進士 錢灝 見進士 鄭允宣 見進士 張紡 江浦瑄子教諭 井康 江寧教諭 郭蒙 上元 徐繼宗 京衛教諭

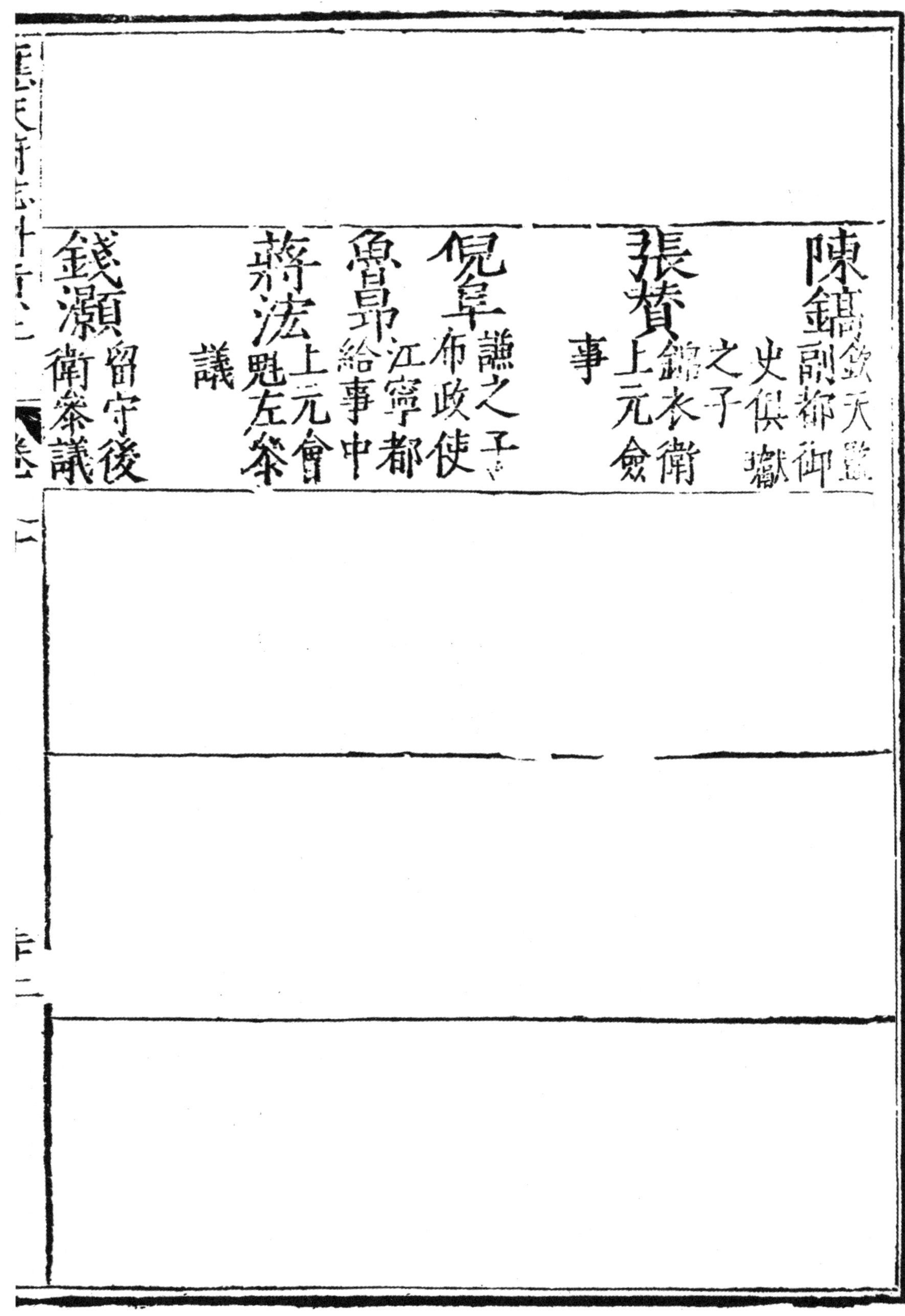

陳鎬欽天監副都御史俱獻之子

張贊錦衣衛上元僉事

倪阜讓之子布政使

魯昂江寧都給事中

蔣浤上元會魁左參議

錢灝留守後衛參議

弘治二年

凌雲翰 亞魁見進士
王階 江寧知縣
王虎 江寧同知
王翰 江寧通判
羅鳳 見進士
陳英 上元教授
王顏 江寧御史
陳玠 上元知縣

龍雨 教諭
桑義 學正
王詢 訓導
湯景賢 教諭
楊天錫
許紘 教諭
錢禎
李儒 訓導
董鋏

章時 尚書軒子知州
倪霦 文懿弟子知府
金述 右都御史澤子郎中

	三年	五年
	胡拱 府軍左衛參政 張琮 江寧南右都御史 徐珵 江寧參議	
周冕 錦衣衛知州 施懋 上元知縣 李禎 錦衣衛		吳大有 書魁見進士
王緒 見舉人 張綬 訓導 吳章	李閈 見舉人 魯達 黃瑄 徐珍 教諭	錢鉞 訓導 朱騫 訓導

龍霓 亞魁見進士

李熙 見進士

李儀 見進士

丁容 上元璥之孫知縣

劉麟 見進士

張宏 見進士

邵清 江寧南御史僉事

王璟 通判

任德 衛經歷

杜綱 教諭

劉瑄 訓導

趙智 訓導

周賢 衛經歷

沈綸

強毅 見舉人

藍英 見舉人

李重見進士
楊正教諭
蔡貴營繕所知縣
陳謐上元知縣
鄭諫江寧知府
王緒江寧知府
李間上元國子博士
殷鏊見進士

六年

鄭允宣上元參議
李儀上元府同知

八年

顧璘見進士

鄭瓛見進士

何宗伊龍江衛知府

方宜規江寧都司

高節見進士

梁材見進士

范邦彥江寧教授

林元吉龍江左衛

五年

李秉衷江寧大興籍郎中

吳珵上元郎中

鄧存德欽天監知州

李昊上元參議

吳珵順天鄉試見進士

吳譙上元

七年

丁鏞上元知府

薛瑞
張陞推官
曹玉見進士
俞綸留守左衛同知
朱福見進士
王進見進士
姚昺見進士
黄謙見進士

十一年

顧璘 上元會亞魁刑部尚書

劉麟 廣洋衛工部尚書

金麒壽 紳之子

李璞 龍江衛知縣

趙榮顯 江寧監丞

姚隆 見進士

劉楷 京衛

王本 江寧助教
顧欽 潤子知州
史良佐 見進士
華綸 江寧知縣
易蓁 見進士
景暘 見進士
許文顯 江寧
金鏡 上元知縣
陳綸 上元教授

十二年

張宏 神策衛主事

史良佐 太醫院副使

梁材 金吾右衛太子少保戶部尚書贈太子太保謚端肅

鄭瓛 驍騎右衛鹽運使

十四年

張偉府軍衛知縣

王介見進士

吳伯深江陰衛知縣

陳沂見進士

金賢見進士

邵鏞見進士

金鼎上元推官

劉弼見進士

錢禎府軍衛

李文泮禎之子知縣

羅輿麟之子

李璨上元長史

十五年

殷鍪羽林左衛僉事

劉弼錦衣衛知府

凌雲翰文之子知州

十七年

姚隆 留守後衛知府

金賢 江寧知府

王韋 易魁見進士

黃琮 見進士

楊翱 見進士

周金 見進士

藍英 江寧推官

張翊 上元

莊簡 琳之子提舉

沈環 見進士

柴虞 驍騎右衛知縣

楊謙 京衛

陳詢 上元教諭

吳瑛 京衛

羅仁 上元教諭

俞徽 綸之子

王漢 江寧

張毅 英之子推官

十八年	正德二年
沈環 復姓朱希達之子郎中 王韋 徽之子庶吉士南太僕少卿 黃琮 上元長史	
	李漢 欽天監 何鉞 見進士 劉宗啓 留守衛知縣
	王壽 教諭 楊欽 訓導 王鑾 見進士 宋顯忠 訓導
	倪廣 文懿后孫通判

	三年
	景暘 上元一甲第二名春坊中允
吳富 錦衣衛 伊伯熊 秉之子府同知 周南 羽林衛知州 羅輅 見進士 陸要 上元知州 王浩 府軍衛知縣	
蕭雍 潘榮 何景哲 訓導 宋熊 教授 劉玠 府經歷 薛萬鍾 邢官 訓導	錢澍 朱華 教授

鄭諫 江寧運使

周金 府軍右衛太子少保南戶部尚書贈太子太保謚襄毅

邵鏞 羽林右衛副使

羅輅 麟之子大理左少卿

易綦 錦衣衛知府

周倫

朱昕 訓導

紀達 訓導

吳珍 教諭

陸紘 訓導

姚承學

王瀹 訓導

呂華 訓導

傅巖 訓導

五年

蔣達留守後衛御史贈光祿少卿

童楷亞魁見進士

趙守高淳教授

王鑾見進士

蔣嶽留守衛知縣

韓恢孝陵衛

李蒸璨之子

張明儒錦衣衛溧

陸庸訓導

王謹

王釗訓導

夏勛學正

六年

李重 金吾後衛副使
王鑾 錦衣衛郎中
王介 留守前衛句容僉事

陽府知府
王以旂 見進士
張烈 右軍都督府郎中
劉紀 旗手衛同知

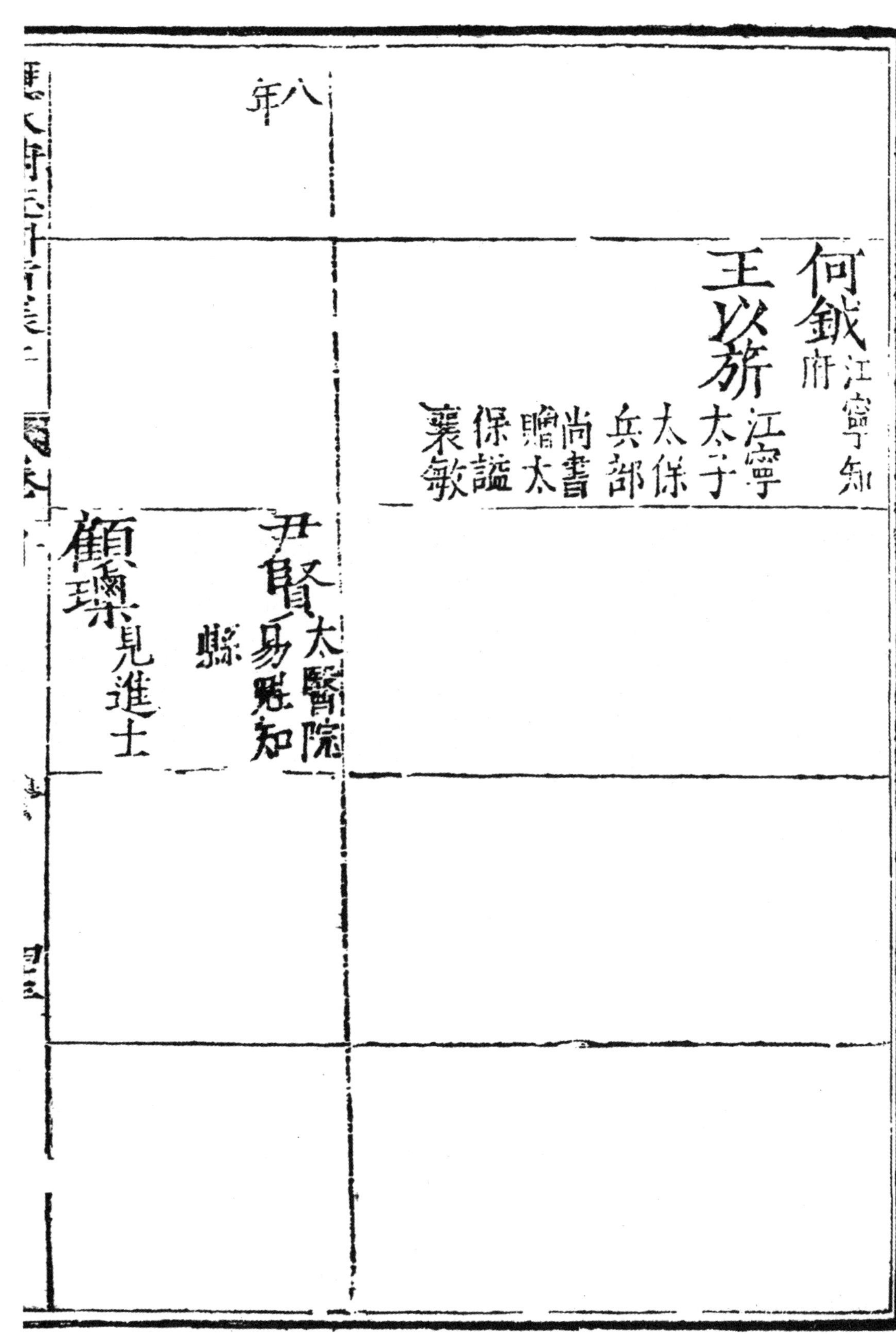

何鉞江寧知府

王以旂江寧太子太保兵部尚書贈太保謚襄敏

八年

尹賢太醫院易州知縣

顧璟見進士

何遵見進士

沈觀見庠孫知縣

陳府見進士

徐九經江寧知縣

徐九疇完之子知縣

陳紹宗京衛

王宗江寧

鄭琦江寧知州

九年

顧璟 上元副使

雷應龍 上元蒙化衛籍雲南御史

何遵 江寧主事贈尚寶卿

童楷 文之孫教授

李僑 江寧

十一年

鄭濂 見進士
錢文 禎之子 通判
楊森 京衛通判
章秀 上元知縣
丁暘 錦衣衛 教諭
江銳 江寧知縣
江鎮 江寧通判

十一年

陳沂 鋼之子 侍讀行 太僕寺卿

年		
十四年	楊翱江寧長史	沈恩錦衣衛知縣 司馬泰見進士 王堂濬之孫 吳惠江寧知縣 王文光留守衛知府 蔣繼蔚上元
十六年	趙兌上元內江籍黎	

嘉靖元年

二年

政

司馬泰 錦衣衛知府

汪鑾 知縣

金清 見進士

鄭淮 見進士

李觀 復姓甘 見進士

童顏 豹韜衛教諭

張偉 上元

鄔經

何衢 推官

李景星

朱瑆 教諭

許仲 教諭

孫鏜 通判

金軒 學正

管景 司檢校

何世守 贈少卿遵子 員外郎

張悊 右都御史琮子 通判

梁山 端肅材子

周仕 襄毅金子 苑馬卿

顧復祥 尚書璘孫

四年

鄭淮 上元知府

陳府 榮之子 御史

鄭濂 禮之孫 御史按察副使

陳鳳 亞魁見進士

金大車 賢之子

伊敏生 見進士

金本陶 京衛府同知

馮鎮 知縣

唐儒 教諭

董林 訓導

朱珥 推官

程宏 教諭

劉陞 知州

劉雨

張岱

宋綱 學正

府知

劉牖 尚書璘子

王管 行太僕卿

王籥 通判

王簧 院照磨

王竹 推官俱襄敏以菸子

倪民悅 文懿岳曾孫知縣

七年

楊戍見進士 趙綸教諭
夏敞上元知縣 王庭訓導
許穀見進士 盛箴教諭
葉聯芳京衛知縣 雍達訓導
沈越見進士 薛玉林教諭
任良幹廣西護衛籍上元教諭 張晃訓導
黄銳教諭
馬應龍知縣
張鐸見進士 王之訓州判官

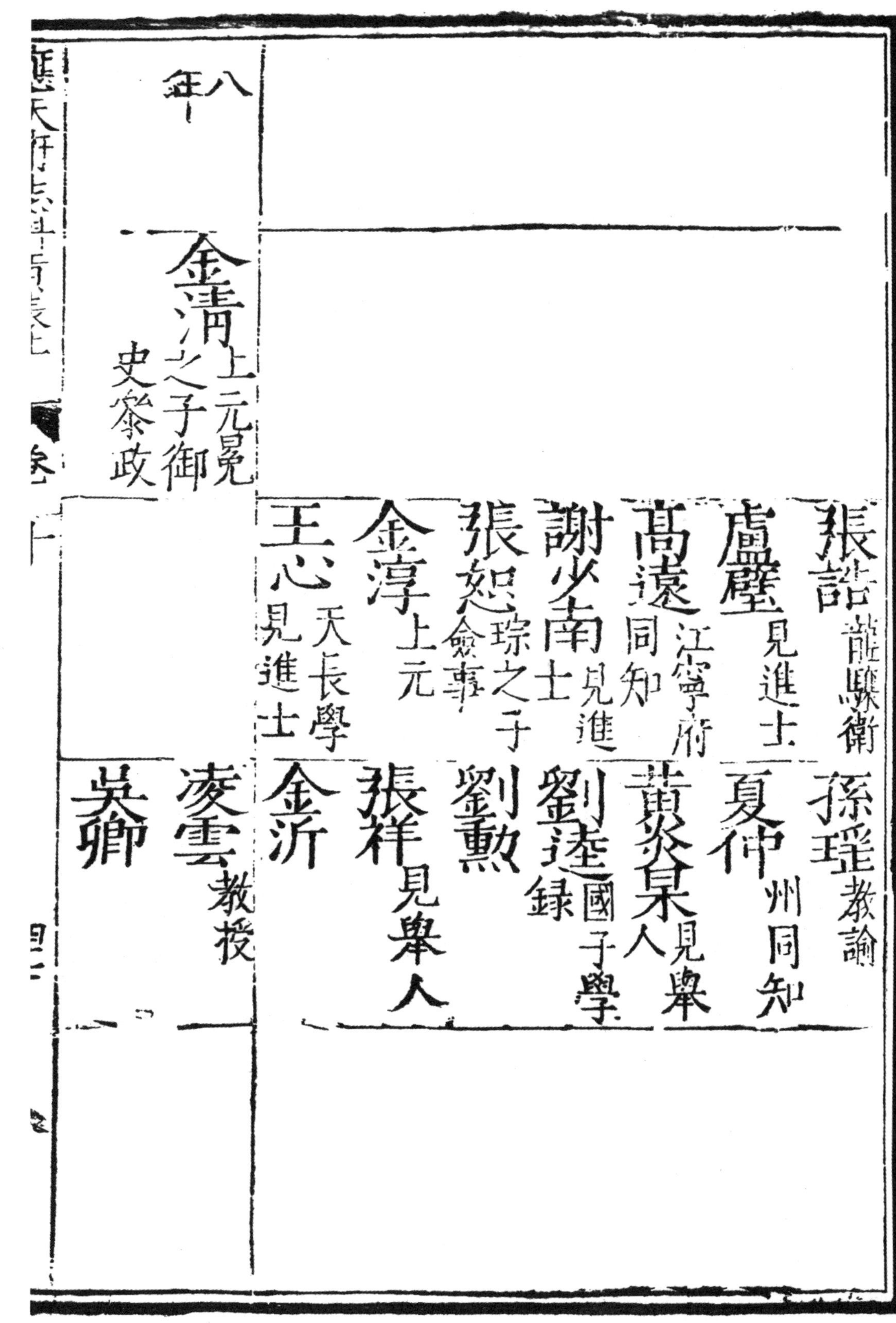

張誥 龍驤衛
盧璧 見進士
高遠 江寧府同知
謝少南 見進士
張恕 琮之子僉事
金淳 上元
王心 天長學見進士

孫瑤 教諭
夏仲 州同知
黃炎杲 見舉人
劉逵 國子學録
劉勳
張祥 見舉人
金沂
凌雲 教授
吳卿

八年

金清 上元見淳之子御史參政

十年

殷邁 見進士
余光 見進士
鄭河 見進士
葛清 京衛
童曉 京衛
宋溥 錦衣衛知縣
王可大 見進士
金瀚 上元
湯輔 龍江衛教諭

馬汝徯 見舉人
胡倖 教諭
周瓛 教諭
金韡 教諭
王鶚 訓道
張鸞
林桂芳
殷遷 訓導
華冕 訓導

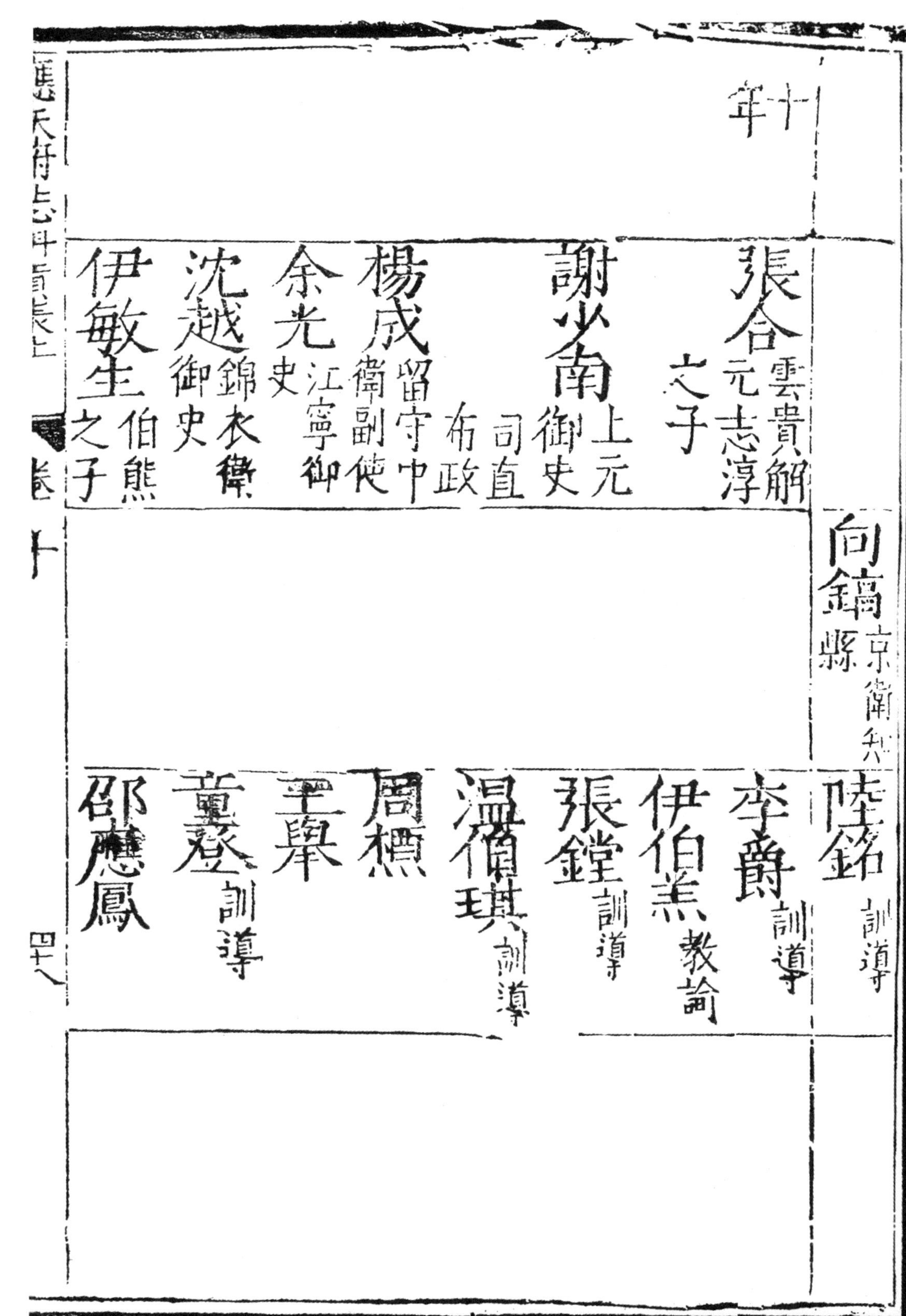

十一年

張合 雲貴解元志淳之子
謝少南 上元御史司直布政
楊戌 留守中衛副使
余光 江寧御史
沈越 錦衣衛御史
伊敏生 伯熊之子

向鎬 京衛知縣

陸銘 訓導
李爵 訓導
伊伯羔 教諭
張鏜 訓導
溫循琪 訓導
周標
王舉
董登 訓導
邵應鳳

御史
參政

蔡鋭 見舉人
顧嶼

十三年

王之省 府軍衛亞魁浩之子知縣
陳芹 羽林衛知縣
張鉞 江浦瑄之子知縣
陳時萬 沂之子知縣

符嵩 訓導
張思
蒲壁
李傑
徐鳴璵
宋欽
周儼

年		十四年	十六年
進士		許穀 上元會元太常少卿 許登瀛 江寧陝西儀衛司籍 陳鳳 留守後衛僉事	
舉人	許登瀛 陝西鄉試見進上		甘節 府軍右衛通判 陸彬 京衛知縣
歲貢	張志 鄭重	宇澤 朱陳 潘壽 馮詡 教授 劉陛 教諭	張瀾 教諭 張懷

	十七年	十九年
	盧璧 羽林右衛苑馬少卿	王心 龍江右衛主事
林一鳳 復姓邢見進士 廖文光 上元郎中 張祥 山東鄉試見進士		阮垕 見進士
李深 教諭 嚴明 靳儒 邵子磐 何適	曹九成 教授 張祉 教諭	俞介 教諭 徐昺 推官

二十年	
邢鳳　龍江衛一甲第三名侍講太常少卿	
	顔芳　知縣 朱文　知縣 梅恒　知縣 周儒　知州 路伯鍠　見進士

殷邁留守衛溧陽禮部侍郎

張祥錦衣衛副使苑馬卿

阮屋京衛僉事

路伯鏜龍江衛行人

張鐸留守衛庶吉士副使

二十二年	二十三年
	甘觀 府軍右衛評事
馬汝僑 錦衣衛 沈九思 旗手衛 盛時春 上元 太僕寺丞 吳士進 知州 黃甲 見進士 黃炎杲 順天鄉試 向釁 長史	

二下
弄

鄭河 禮之孫 推官

梁楹 府軍後衛府同知

蔡銳 留守左衛知縣

潘鵠 府同知

李种 重之子 府同知

薛盤

蔣山 通判

劉安節 郎中

	二十六年	二十八年	二十九年
	戴愬江陰衛知府		黃甲興武衛南吏部
戴愬天長學見進士		俞璉京衛推官 周珊龍虎左衛知縣 何汝健見進士 皮豹見進士 朱潤身見進士 呂鐸京衛郎中	

三十一年

主事

楊璧 上元通判
馬汝谿 錦衣衛知縣
胡汝嘉 見進士
鄭守矩 知縣
柳旦
尹繼皐 知縣

三十二年

何汝健 留守左衛

	三十四年
參議 胡汝嘉 鷹揚衛編修副使 王可大 鑾之子知府	
	周昜 府同知 王肖徵 可大子 楊家相 見進士 陳時伸 太醫院府

同知

姚汝循 見進士

鄭守益 通判

朱文益 知府

劉桂

金鑾 知縣

段文億 上元 雲南 昆明 籍 教諭

	二十五年	三十七年
	姚汝循 錦衣衛知府	
鄭廷年 上元 雲南揚林所籍 通判		李鏌 吳之儒 通判 叢文蔚 見進士

張來鳳 教諭

李逢陽 見進士

黃尚質 通判

金禹 逵孫

王惠 上元廣西桂林中衛籍教諭

雷學皐 上元雲南臨安衛籍知州

八年	皮豹 上元知府 侯必登 上元雲南廣南衛籍知府
四十年	殷康 留守衛溧陽府同知 伊在庭 吳縣籍見進士 鄭宣化 見進士

殷序 邁之子

四十一年

朱潤身 江寧僉事

四十三年

吳自新 亞魁見進士

焦竑 旗手衛

李夢相 水軍衛知縣

侯全爵 鷹揚衛

俞孟麟 見進士

四十四年

伊在庭　會魁　敏生子　員外郎

趙經　留守衛　知縣

朱衣　錦衣衛　知縣

董守緒　欽天監　知縣

陳大立　江寧　雲南廣南衛籍　知縣

邵元哲 上元 貴州 普安 衛籍 知府

楊家相 江寧 御史 副使

李良臣 江寧 貴州 普安 衛籍 行太 僕卿

鄭宣化 龍江 衛南

隆慶元年	二年
吏部郎中	李逢陽金吾後衛郎中
姚文芳錦衣衛 卜履吉江寧 路九同伯鏜子 宋存德見進士 顧九德錦衣衛 金元初江寧	
柴芳教授 李藻教諭 沈質訓導 繆仲選教諭 李蕃教諭 李登知縣 任芳 秦憲教諭	

四年		
		吳自新江寧知府 叢文蔚錦衣衛知縣
卜鏜江寧 吳伯誠江寧推官 王橋見進士 張國輔見進士 徐世隆上元雲南後衛籍教		
伊直生訓導 楊希淳 呂懷忠 張樾緒 王楫 李泰 張鋭知縣 焦瑞知縣 宇瀠		

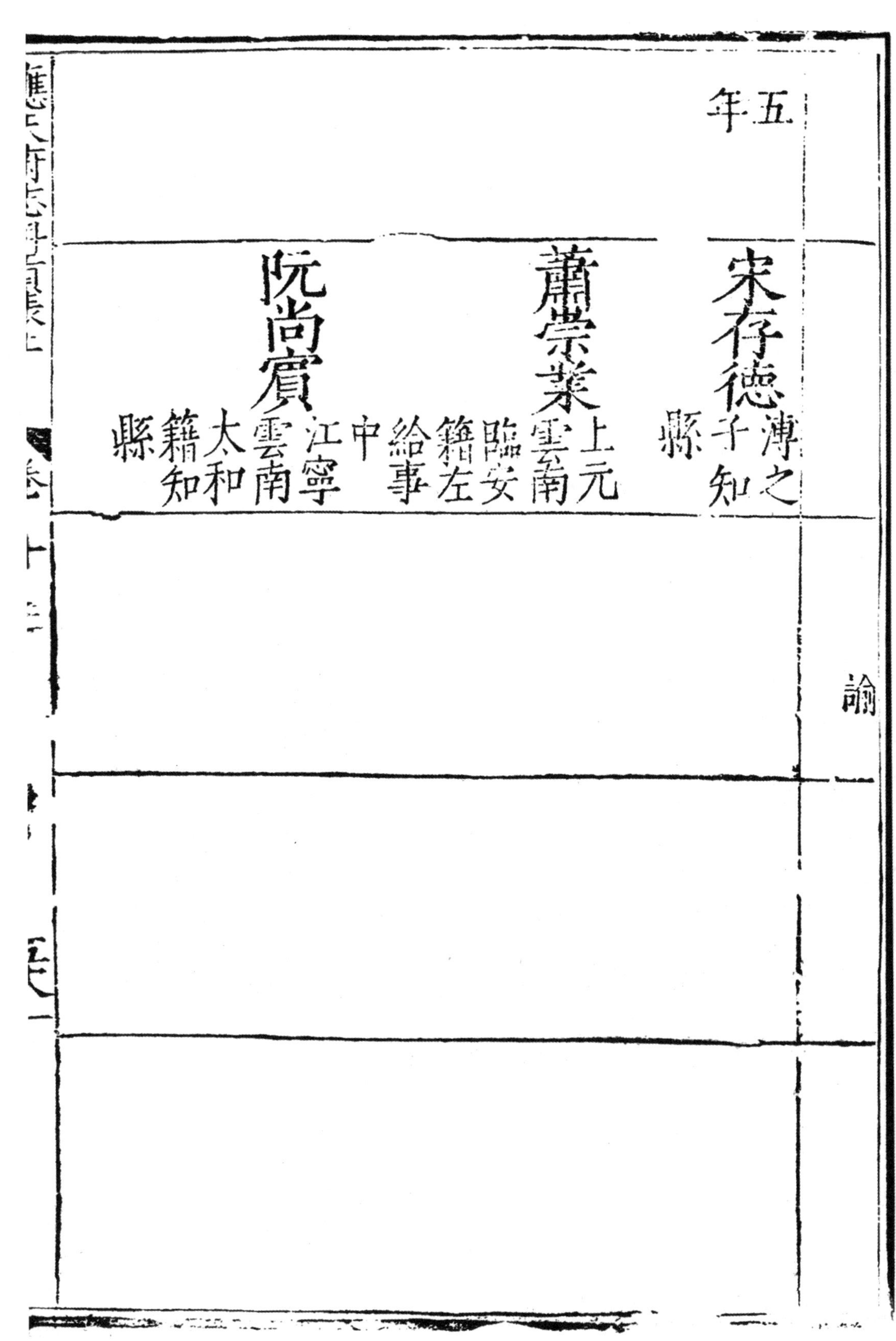

五年

宋存德 溧之千縣知

蕭崇業 上元雲南臨安籍左給事中

阮尚賓 江寧雲南太和籍知縣

諭

萬曆元年

薛應和 江寧

范思正 太醫院

董肇胤 守緒子

王質 訓導

王允學 訓導

劉文邦 訓導

顧峻 尚書璘子

二年

余孟麟 第一甲第二名光之子編修

王樵 上元主事

張國輔 金吾後衛主事

方煥 訓導

金鯤 訓導

盛時泰

胡伯鰲 訓導

沈鯉飛

馮時鳴

五年

張後甲中會試

張後甲鷹揚衛亞魁　萬夢桂

沈鳳翔九思子　李學

何湛之　顏儒

何淳之無錫籍俱汝健子　丁璽

黃鶴鳴上元

金陵志進士自開慶迄萬曆共四百一十六

人前乘不傳氏名莫紀

國初實京師率起閭右諸人本貫槩不復書惟
它郡起家及下邑尺籍若張志淳王徽等始
䟽註如例云

應天府志卷二十終

應天府志卷十一

科貢表下

句容

唐　進士

會昌　胡悅 國子監助教

宋　進士

慶曆二年　張識

張諮

熙寧九年　江適道

年	名
	楊之道 巫越
政和八年	徐時昇 贈中奉大夫
紹興八年	巫孝立 巫伋 參知政事
十二年	苗昌言 江漢
十八年	江賓王 翰林編修

年	進士	舉人	歲貢	敘蔭
二十一年	湯彥昇			
	巫克恭			
淳熙二年	巫孝傑			
咸淳七年	徐桂子縣尉			
	胡廷桂			
元	進士			
	夏道山年無考			
大明	進士	舉人	歲貢	敘蔭附年缺
洪武三年		趙權見進士		

	四年	十七年	十八年	十九年	二十年
	趙權 知縣金陵人物志作二十四年		許晋 凌輅 知府		
		凌輅 見進士 吳斌 見進士			
				洪深 御史	陳燮

二十一年				湯恭
二十四年		吳斌知府		張經僉事
二十六年				潘振川學正
二十七年				周廸郎中
二十八年				王敏州判
二十九年			嚴虎訓導	李鐸
三十年				陳錡
革除元年				湯寶知州
二年		劉永知州		

永樂元年	二年	三年	四年
	范進知縣		
范進見進士 王嵎訓導 陳壽訓導 尹鑑訓導		張逵御史 王原 劉濬見進士	
		陳申衞經歷	許安僉事

五年	六年	七年	八年	十年	十一年
				劉濤御史	
			曹義見進士 巫恭府檢校 吳謙通判 陳遜府同知		
巫潤知縣	吳禧知州	嚴信苑馬少卿		胡潤	王榮知縣

年				
十二年		謝璘見進士	徐豫	
十三年	曹義編修南吏部尚書 高志提學僉事 謝璘郎中		樊繼知州	
十四年			周順州判	
十五年		曹暹教諭	陳熙	
十六年	張銘員外郎 周禮府同知		胡定衛經歷	

十七年	十八年	十九年	二十二年	宣德元年
			徐縉知縣	
	胡諒訓導 王煥州學正			潘延詩魁南太僕寺丞 朱眂知州 劉能教諭
武傑	包輝	許懋知縣	王哲	

年			
五年			張亨
六年			江渺
七年			孔詵知縣
八年			楊敏知縣
九年			嚴旭府經歷
十年		張諫雲南禮記魁見進士	倪脣知縣
正統二年			吳琰
三年		李質教諭	

年			
四年	張諫赤水衛籍提學御史順天府尹		蔡澄教諭
七年			王賓通判
九年		張紳見進士 嚴純州學正 王永寧府經歷	茅容
十年	張紳南御史參政		
十一年			陳福通判
十二年		居輔通判	強和所吏目

			樊諒知縣	
十四年			劉惠縣丞	
景泰元年		華禎訓導 王韶州同知 孔彥倫通判 包文學府同知 曹景見進士		
二年	曹景御史副使		周良縣丞	
四年		王綬教諭		

	五年	六年	七年	天順三年	六年
高清知州 姚寧運司判官			蘇潤知縣 高諤知縣	徐玉 石堅順天鄉試	戴仁亞魁見進士
	張昂知縣	曹朧知縣			王鐸府教授

胡漢教諭
李澄教諭
曹瀾見進士

凌傅見舉人
呂霆衛經歷
孫琦訓導
王驄主簿
經綍知縣
笪縉訓導
陳泰訓導
許潤局大使
經文憲知縣

年			
八年	曹宏 錦衣衛籍御史副使		陳釗 訓導
成化元年		王璿 知縣 張恪	
二年	戴仁 提學御史		陳鉞 知縣
四年			陳璿 訓導
五年	許暠 雲南廣南衛籍知縣		
六年			曹祖齡

七年		凌傳 順天鄉試知縣	
八年			張悰
十年		湯鳶 春秋魁見進士 孫傑 知縣	吳觀 訓導
十一年	曹灝 景之子知州 湯鳶 壽州籍御史		
十二年			鄒綸
十三年		李永亨 推官	
十四年			偒勗 訓導

十六年		張憓	
十八年			張綽訓導
十九年		趙欽見進士 居軫訓導	
二十年	倪綱會魁行人 高平錦衣衛籍知縣		許濙訓導
二十二年		徐欽詩魁	陶貴訓導
弘治元年			張瑾府經歷
二年		鲁鉞府同知	張恬知縣年無考

	三年	五年	九年	十年	十一年	十二年
	楊鉞知縣 趙欽南給事中					
楊鉞見進士		王相教諭			曹鋒見進士 蘇遨	
	孔祖福		周祚	戴玭州判	徐永賢	許玹教諭

年			
十三年			唐景和
十四年		夏克義知府	
十五年	曹崑順天尹行太僕卿 曹岐行太僕卿俱宏之子		曹淇府經歷
十七年		華忠鹽課提舉	王景訓導
正德二年		曹濠員外郎	孫貫教授
三年	曹鏜僉事		

十一年	十年	九年	七年	五年
鄒志學府同知 王睇見進士 楊汚見進士 朱福順天鄉試大興籍鴻臚少卿				
	楊廸教諭	華武	高瓛教諭	阮希晋

年				
十二年	曹鎡武進籍會亞魁 王聯戶部尚書		凌讓州判	
十三年			陳詔按察經歷	
十四年		劉鳳見進士	張本學教諭	
嘉靖元年			徐仲榮訓導	
二年			張鵬	
三年			楊時舉知縣	
五年			樊廣教諭	
七年			許琮訓導	

八年	劉鳳主事 楊沔按察使		
九年			嚴表訓導
十年		李春芳見進士 許彦忠見進士	
十一年			居瓚州判
十二年			陶震州同知
十三年			曹銓知縣
十四年	朱尚質瀋陽中衛		

	籍			
十五年			王訥州判	
十七年			許玒訓導	
十八年			王文獻	
十九年		張錦知州	楊謣訓導	
二十一年			居璒	
二十二年		張梅知縣		
二十三年	許彥忠參議		戎詔	
二十五年		王朴知縣	蔣梁	王誠子尚書脩

蔣國賓 廣南衛籍 雲南鄉試 府同知

二十六年

李春芳 興化縣籍 一甲第一名 少師中極殿大學士

二十七年

丁鶴 訓導

年			
二十八年		趙科 知縣	
二十九年			姚廷鳳
三十一年			江文熉
三十二年	江奎 遼東廣寧衛籍 知府		
三十三年			居琬 訓導
三十四年		曹存 知州 經儒 知縣	
三十五年			夏璘 訓導

年				
三十七年			徐瑚 訓導	
三十九年			王輅 教諭	
四十一年			許袞 訓導	
四十三年			栢鳳鳴 教諭	李茂年 尚寶司丞
				李茂德 中書舍人 俱少師春芳子
四十四年	管東光 江西東鄉籍右給事中			
四十五年			曹倈	
隆慶二年	楊言 給事中		曹介	

三年	四年	五年	六年	萬曆元年
高一登 山東清平衛籍王事		王敬民 河南西華籍推官		
				陳榛 亞魁 管守心 安慶籍
楊講 縣丞	高寅		黃鰲 訓導	朱邦奇

年			
二年			夏珂
四年		徐言 曹孝述存之子	戴思順

溧陽

宋

進士

年	名
太平興國八年	周絳都官員外郎知府事
熙寧十年	潘溫之
紹聖元年	許子美

	潘絳 溫之子知縣事年無考
崇寧五年	秦濟
政和元年	錢時敏 敷文閣待制
建炎二年	錢周材 給事中直學士院
	李朝正 知府事
紹興二年	劉樞

	潘祺 州司戶
十八年	周彥
二十四年	趙公彬
乾道五年	沈鑑
淳熙五年	張衡
八年	張逢辰
嘉定七年	潘彙征 知縣事
十年	吳儀
十二年	趙彥俊

景定三年	錢應酉	
	楊俊	勑令掌翰林院年無考
咸淳	湯德俊	推官年無考
元	進士	
延祐二年	偰哲篤	參知政事
五年	偰玉立	肅政廉訪司使

年	進士			
至治元年	李士良州判官			
	偰朝吾同知州事			
泰定元年	偰直堅縣尹			
四年	偰善著行省檢校			
至順元年	偰列虎縣尹			
至正元年	偰燾哲篤子翰林編脩兼正字			
十一年	嚴瑄縣丞			
大明	進士	舉人	歲貢	敘蔭附

年			人	
吳元年				傚斯吏部尚書
洪武十八年			陳豫	貲守道廉訪使仲淵子通判年無考
十九年			眭友直府知事	
二十一年			楊儁	
二十四年			羅安郎中	
二十七年			朱毅知縣	
二十八年			蔣完	

二十九年		馬驟知縣 陳儒府照磨 陳鎰	徐文英御史按察副使	
三十一年 華元除午		王滿知縣 彭守學州學正 潘鵾 謝鼒 鍾田推官	陳善衛經歷	

永樂元年	二年	三年	四年	五年	六年	七年
	史彬 知州					
史彬 見進士 張誠 知縣					呂和 主事 史詠 見進士	
史復 知縣		馮安 推官	狄蒙 知縣	陳俊	史壽 改名輝 給事中 左參政	王謙 知縣

八年	九年	十年	十一年	十二年
		史詠府同知		
	楊瑛見進士 黃琮府教授 錢敏知縣 黃玉訓導 錢覺			史常見進士
張祺知縣	彭燊府同知	徐齡鹽課提舉	高禧	鄧詢知縣

	十三年	十四年	十五年	十六年	十七年	十八年
	史常知府			楊瑛府教授		
把士聰伴讀 馬進訓導						王琳見進士 陳長
	蔣遜州判	宗適	周琮		郝嵓	楊剛御史僉事

十九年			劉昭	
二十一年		史曆郎中 孫達訓導		
二十二年	王琳提學御史參政		曹友昌	
宣德元年		史徽教授		
二年			蔣毅	
五年			羅亨府知事	
七年			羅振知縣	
八年			周暘	

年			
九年			史良縣丞
十年			宋璉府同知
正統三年		苟釗順天鄉試見進士	房相通判
五年			史策縣丞
七年	苟釗寶坻籍副都御史		周震
九年			史俊
十一年			狄惠知縣

十三年	景泰元年	二年	三年	四年	五年
				呂旻 和之子知縣 彭勗 教諭 王貞 知縣 楊靚 推官	
王鑑 知縣	彭麟 縣丞	楊禮	蔣著 知縣	陳簡	房愻
	戴昇 大常卿慶祖姪員外郎				

七年	天順二年	三年	四年	六年			
唐珏		史紘常之子		蔣輅	強珎順天鄉試見進士		
強賢	呂葳		王銘衛經歷	孫碩縣丞	楊紹知府	蔣德璲順天府治中	馬清衛經歷

			八年	成化二年	四年	六年	七年
				強珎 滄州籍僉都御史			
							陸錫
史遷 訓導	史憲 主簿	趙奎 縣丞	楊遜 訓導	周鎬	陳衍	吳琚	

八年	十年	十一年	十二年	十三年	
		繆樗南御史 陳鉞知縣			
	陳鉞見進士 繆樗見進士 馬英知縣			達雲	達洪
戴晨府經歷	徐宏縣丞		岳嵩		

年				
十四年			鄭芳	
十六年		虞賓	史譔訓導	
十八年			呂愘主簿	
十九年		陳璞		
二十年			史顯衛經歷	戴愈慶祖姪孫部檢校
二十二年		史禦更名後見進士 余洙見進士 史學見進士 潘楷順天鄉試見進	房寶訓導	

士

胡汝礪 陝西鄉試見進士

二十三年

胡汝礪 咸寧衛籍兵部尚書

史學 叅政

潘楷 錦衣衛籍庶吉士御史布政使

弘治九年

芮聰

年				
二年		馬性魯 書魁 見進士 余溢 陸徵 見進士		
三年	陸徵 御史參政		史霆	
五年		胡汝楫 陝西鄉試 見進士	庾誠 知縣	
七年			經漈	
八年			彭鵾	

年			
九年	史後 給事中進光祿少卿 余洙 吏部主事		史華
十年			史愉
十七年		楊琦 復姓蔣 胡侍 陝西鄉試見進士	方徵 以下縣志作年 史慶 史玭 按察司經歷
十八年	胡汝楫 寧夏左衛籍知縣		黃必遇 州吏目 蔣寔

八年	六年	五年	正德二年	
	馬性魯 會魁給事中知府			
楊琪 復姓蔣見進士		史簠 知縣 彭詡 順天魁	狄冲 見進士	
方元範	湯璧 縣丞 史鏊	馬從誨 陸徽	戴德 訓導	狄璋 府照磨 謝鶚 黃文昌

十一年	十二年	嘉靖元年
	胡侍 汝礪子咸寧縣籍 蔣珙 僉事	
彭謙 見進士 郴鳳朝 雲南鄉試知縣		蔣廷璧 貴州普安衛籍鄉試國子學正
湯旻 知縣 湯弼 知縣		戴金 縣丞以下具年

二年	三年	四年	五年	七年
狄冲 郎中				
		繆希亮 見進士 史際 見進士		史伋 馬章 改名震 章見進士 上 馬一龍 順天解元
呂玉 通判	史昊 通判		史晃 知縣	王紳

見進士

胡萬里 陝西鄉試 見進士

八年

馮彬 廣東雷州衛籍 按察副使

胡萬里 咸寧縣籍 知府

繆希亮 未廷試

九年

方元吉

十年	十一年	十二年	十三年
	史際 後之子吏部主事進太僕少卿		
馬從謙 順天解元見進士 何璋 湖廣鄉試見進士			胡叔元 陝西鄉試見進士
	史鉉	逄炳 通判	

十四年	十五年	十六年	十七年
馬從謙 光祿少卿 胡叔元 汝楫孫，咸寧縣籍			蔣宗魯 廷璧子，副都御史
		彭若龍 詡之子 蔣宗魯 貴州鄉試，見進士	
	彭若思 鴻臚署丞		史銑 教諭

年			
十八年			史治訓導
十九年		高裕苑馬監正	史文奎縣丞
二十年			滕祚
二十一年			蔣繹推官
二十二年		狄斯彬見進士 朱纁見進士	
二十三年	彭謙 馬震章按察副使 何璋夷陵籍知府		史籍主簿

二十五年	二十六年	二十七年	二十八年	二十九年	三十一年
	馬一龍南司業 狄斯彬御史左參議				
張翰翔見進士 湯憲雲南鄉試			王亮采知州		馬有騑兵馬指揮
史汴縣丞		呂充通判		魏文鳳教諭	李燮教諭

年			
		蔣元寀寳坻籍順天鄉試 郝知年雲南鄉試	
三十三年			鍾祖齡教諭
三十五年			呂景利教諭
三十七年		鍾士榮主事 郝知禮雲南鄉試	高仕府照磨
三十八年	朱纁尚寶司丞 張翰翔僉事		

三十九年	四十年	四十一年
	馬霦伯 一龍子 狄同烇 斯彬子 鍾遐齡 見進士 蔣思忠 貴州鄉試 宗魯子 蔣思孝 貴州鄉試 見進士	
包思學 教諭		彭适 知縣

應天府志科貢下　卷二　三十九

年			
四十三年		陳善	劉序州學正
四十四年	蔣思孝宗魯子員外郎		
四十五年			葛侗教諭
隆慶元年		史繼志見進士	
二年	鍾遐齡知縣		楊道延縣丞
三年			史繼辰見舉人
四年		朱黙 錢美中	袁端化見舉人

	五年	六年	萬曆元年	二年	四年
		史繼志主事			
裘端化順天鄉試知縣			蔣立敬 狄同然順天亞魁		史繼辰易魁 呂重慶
	陳家肇	狄同然	芮大愚	朱應龍	

五年　史繼辰　庶吉士

晦翁同年錄無楊必達歷代狀元考余中家宜與景伯錄于登科泰梓志于金陵俱貫江寧崔敦禮敦詩劉岑王端朝趙葵惟揚長沙等志各稱土著問南溪廬陵人任學正俱正之石文英雲龍思義闕疑可也

溧水

進士

宋

崇寧　俞㮚　兵部尚書

年	人
宣和三年	魏良臣 參知政事，贈光禄大夫，謚敏肅
政和八年	朱虙 知縣事，贈通直郎，出金陵志
紹興十八年	吳柔勝 秘閣修撰，贈太師，謚正獻
嘉定七年	吳淵 柔勝子，資政殿

大學士參知政事贈少師

十年
吳潛 柔勝子狀元左丞相贈少師

咸淳
張璹

元
進士

至正
文吉

大明
進士
舉人
歲貢 縣志欽年
敘蔭

洪武十七年
胡桐 主事
姚行 參政

二十年	二十一年	二十三年
	齊德吏名泰兵部尚書	
劉文知府 沃俊評事 齊德見進士 朱勝伴讀 王士惟 欒鳳經歷		談允左都御史
劉彥宣教諭		

	二十六年	二十九年	第元除年
房義	杭濬御史 王性	趙昱教諭 梅哲經歷	張禮教授 朱旭通判 夏廉教諭 湯茂知縣

	二年	永樂元年	
	孫讓		
宋鎬按察經歷 經綸經歷 孫讓見進士		徐昱訓導 張宗直教授	張豫 張彥聲
		朱震御史 張清芝縣丞	李應庚都給事中知府

年	一	二	三
四年	王琮		葉茂 衛經歷
九年	—	傅安 主事 魏組 主簿	夏泰 經歷 陳瓚 衛經歷
十二年		夏源 經歷	
十六年	許英 知縣		
二十一年	—	陳紀 紀善	
宣德	—	—	楊度 知縣 任靜 都司經歷 陳俊 都司經歷

	正統九年	景泰元年	五年	天順三年
			王魯 知縣	
	徐金	丁釗 知縣 王魯 見進士		任蘭 知縣
張愷 御史	李志恭 知縣 朱芾 知縣 王讓 都督府經歷 張紀 縣丞	夏斌 衛經歷 孫豫 兵馬指揮		王瓚 知縣

成化七年

張儒

魏寧 訓導

丁鍾 知事

葛寧 知縣

黄本 訓導

孔敏 訓導

谷泰 知事

張璉

趙淵

朱瑜 典籤

八年

十一年

十三年

十六年

陳理德州衛籍知縣

節欽盧龍縣籍大理卿

陳理山東鄉試

范琪見進士

朱杲知縣

喬衍

端楷縣丞

蔡榮經歷

方玘縣丞

夏華教諭

郭濤縣丞

臧志衛經歷

夏守衛經歷

朱琦經歷

虞周知縣

年			
			袁濟州判官
			李茂訓導
			芮峻
弘治元年			楊誂以下具年
二年		夏輯知縣	
三年			夏翀
五年			章華
六年	范琪僉事		
七年			李杲訓導
年			

年			
八年		張鎮	
九年			傅壽
十年			方楠都司斷事
十一年			俞鉞
十二年			黃鐸州吏目
十三年			翟瑞州吏目
十四年		丁沂亞魁見進士 黃志達見進士	
十五年	丁沂副都御史		蔡文昌

年			
十七年		邵世昌欽之子	劉嵩知縣
正德元年			張時舉縣丞
二年		江府通判 甘永昂通判 張璠知縣	
三年	黃志達員外郎		王澄衛經歷
五年			張廷芳教諭
七年			經明
八年		武晉教諭	

年				
九年			俞琳 後謫	
十一年			章潼 州同知	
十三年			尹廷瑞	
十五年			曹鏞	
十六年			施崇義	
嘉靖元年		王希成 通判 劉鏊 順天亞魁知縣		
二年			丁昌	
三年			吳綸	

年			名	
五年			諸相	
七年			陳敕	
九年			徐鑰	
十一年			茆世亨見舉人	
十二年			章棐知縣	
十三年			黃堂	
十四年			王道明	
十五年			劉楠	
十七年			朱恩	

年			
十九年			丁繼孝
二十年			范僎州同知
二十一年			范湶
二十二年		茆世亨長史	
二十三年			章湖訓導
二十五年			范演主簿
二十七年			張湶縣丞
二十八年		張邦謨知州	
二十九年			丁繼文知縣

年				
三十一年			周元綬縣丞	武尚晃贈寺丞曍之子
三十三年			邰泗教諭	
三十五年			張崇德縣丞	
三十七年		徐守正 孫玠知縣	孫玠見舉人	
三十九年			陳巘	
四十年		許根善		
四十一年			章棨通判	

四十三年	四十九年	隆慶元年	二年	三年	四年
武尚賓 武尚訓 順天鄉試		徐一鳳			武尚耕 許魁 見進士 王守素 亞魁
	章梯 教諭		陳謨	武尚耕 見舉人	陳鳳占

	五年	六年	萬曆元年	二年	四年
	武尚耕給事中				
薛維翰 武尚嚴					章甫詔
		傅良冠帶	陳日隆	張侁	茆鍾秀

南畿志列俞臬於江寧寧國志列吳彔勝等
於人物高淳所載迴許英又輒李杲而上共

若干人夷考其時固屬溧水也若劉綰等

進士舊乘未書不敢録

江浦

大明	進士	舉人	歲貢（縣志缺年）	敘蔭附
洪武二十九年		莫英 教諭	沙毅 知縣	
革除元年		劉觀 御史	徐駟 給事中	
		史雄 郎中	葉讓 經歷	
		吳智 推官	周敏 主事	
永樂三年		王信 知縣	張善 御史塩運使	

六年

王廣通判
王恕
李鉉

胡龍經歷
月輝經歷
臧理審理
何清縣丞
馬常主事
潘智知縣
陳憲審理正
郁貴知州

宣德四年

周倫教授

鄒暉

年			
		謝卓	
七年		魏榮檢討	
正統六年		張瑄見進士	韓玄主事 裴顥知縣 趙昂按察知事 常賢推官 趙福府經歷 黃通知縣 夏勤典寶
七年	張瑄南刑部尚書		
景泰四年		周廣伴讀	
七年		莊杲見進士	

	天三 順年 六 年
郁琮左長史	蔣達知縣 石淮亞魁見進士 魯長學正
郭瑶伴讀 陳魁經歷 金傑	張謹 朱濬衛經歷 劉憲州同知 孔碩主簿 月隆吏目 董瑄

	成化元年	二年	七年	八年
		莊泉 檢討南吏部郎中 石淮 庶吉士提學僉事		吳泰 布政使
	丁廣 知縣 董舜 教授		吳泰 見進士	
毛翔	嚴珩 典史 王經	張麟 訓導 涂平 典儀 嚴良 紀善 徐義 訓導	弓成	張瓘 訓導

十年			毛鵬	
十三年		林鉦	朱斌	
十九年		馮浩見進士	袁浩縣丞	張絅尚書瑄之子通判
二十二年		李錦知縣 王瑄知縣 弓元見進士 吳鸞		
二十三年	馮浩知州			
弘治八年		嚴紘見進士	檀聰訓導	

九年	十四年	十五年
弓元會魁御史		嚴紘布政使
	王瑺見進士 陳瑞府同知	
丁傑主簿	裴瓘 張純訓導	嵩暹 黃鐸訓導 王源訓導 王璽 蔣桓 張龍訓導

年	進士	舉人	貢
			陳欽訓導
正德二年		袁煥府同知	馬玹教諭
五年		張淵知縣	狄泉訓導
六年	王瑋御史		莊晏訓導
八年		毛經知縣 孔麐見進士	梁輪訓導 萬鉞訓導
十二年	孔麐知府		劉瑋訓導 吳珍 陳瓚訓導

年			
嘉靖元年		袁禎知縣	李浦教諭
四年		茆秀知縣	趙儁
十年		張棠	姚裕
二十五年		朱賢見進士	張縝教諭
		張邦直知縣	黃勑
三十一年		顧昊通判	吳麒教授
三十二年	朱賢御史		張奎州學正
三十七年		朱雲鸞	戴恩府教授
三十八年	汪若泮貴州衛籍		滕節教諭

謝增

趙定 知縣

嚴思寬

楊鵬 知縣

亏鄕 教諭

檀璋 訓導

裴海 州學正

李欽 教授

楊鶴 州吏目

隆慶元年

黃四科

吳宿

常棠　教諭

管洪　知縣

王岳

王煥　訓導

胡繡　教諭

丁文昌　訓導

莊鏜　訓導

年		名
二年		弓調
三年		王采
四年	嚴丕承 紘之孫	姜繼禮 知縣
六年		周臣 訓導
萬曆元年		劉聲振
二年		祝銁 訓導
四年		周楨

弘治中縣志叙列張邵及孝忠孝祥於人物

第和州有宋碑具邵等名氏故縣之科貢斷

自洪武表之

六合			
宋	進士		
慶曆二年	仇著知州事		
乾道八年	趙萬		
淳熙八年	錢有嘉		
開禧元年	孫侅		
大明	進士	舉人	歲貢
洪武十七年		余文見進士	夏正

年			
十八年	余文給事中		嚴雍
十九年			薛真
二十年			張義典史
二十一年			侍懋教諭
二十二年		許暘僉事	
二十三年			吳良教諭
二十四年			姜琳
二十六年			周瑛典史
二十七年			褚著

年			
二十九年		傅讓教諭縣丞 吳珏訓導	何琮知縣
三十年			許彬
革除元年		夏閏府經歷	
二年			唐忠通判
永樂元年			季同知縣
三年		尹旻訓導 孫智翰林院習夷字府檢校	俞亨府檢校

四年			陸臨衛經歷
五年			丁子受
六年		繆衍學録	鄭猷見舉人
七年			王用知縣
八年			胡瞱御史
九年			鄭曦
十年			郭維新通判
十一年			魏彔
十二年		鄭猷見進士	朱昭府照磨

年			
十三年	鄭猷檢討		馬昌主簿
十四年			吳秉府照磨
十五年			曹奎
十六年			侯旭主簿
十七年			馬驍知縣
十八年			王晟主簿
十九年			周文
二十二年			許端
宣德二年			徐弘

五年			王瑄縣丞
七年		田琮教諭	王敬衛知事
十年			王善縣丞
正統二年			徐信縣丞
三年		李璘亞魁教諭	祁福縣丞
五年			馬驤
七年			沈淵知縣
九年			夏惠縣丞
十一年			蔣貴縣丞

十二年		鄭瑛 見進士	
十三年			茹斌 知縣
景泰元年		李景脩 知縣	朱誼
二年			沈諒
三年			袁義 知縣
四年			袁敏 州判官
五年	鄭瑛 主事		陸斌 縣丞
七年			胡深 旌表孝子
天順二年			陶亨 州同知

三年	四年	六年	七年
黃縉 通判 詹倜 知縣		吳善 知縣	
	李廣 縣丞	陸富 主簿	季恒 知縣 胡漢 府知事 陸淵 縣丞 孫景禎 陸獻 衛經歷

年	一	二	三
八年			唐繼宗 按察檢校
成化元年		俞祿 見進士	
二年			史海 府照磨
四年			季臯
五年	俞祿 南給事中		
六年			孫棐 知縣
七年		余淶	
		黃肅 見進士	
八年			陳璧 縣丞

年			
十年		謝瑄府同知	俞晃
十二年			劉文審理副
十三年		袁文紀通判	
十四年	黃肅按察副使		曹永寧
十六年		王弘禮記魁見進士	朱瓛主簿
		印寶府同知	
十八年			胡鵬府經歷
二十年			林允義按察知事
二十一年			楊冬

弘治元年	三年	五年	六年	七年	八年	九年	十一年
			王弘 南御史按察副使				
					張瓚 知縣		
孫景仁 州同知	毛程 訓導	王璽		陸楷		周弼 州判官	嚴倫 訓導

十二年			袁泉知縣
十三年			王紳訓導
十四年		黃宏見進士	汪洋太僕主簿知縣
十五年	黃宏左叅議死節贈太常少卿		夏鑾
十七年		李傑見進士	陳紳衛經歷
正德元年			楊誠教諭
三年			黃仲明宣慰都事
五年			劉瑀知縣

年				
七年			俞涟教授	
八年		張愷府同知		
九年			毛冕訓導	
十一年			袁槼通判	
十二年	李傑僉事			
十三年			陸鏶鹽課司提舉	
十四年			李維教諭	
十五年			陸金衛經歷	
嘉靖元年			毛琇訓導	

年			
二年			陸德
三年			陸昌 知縣
四年		馬逢伯 知州	
五年			吳鋹
七年			章憲
九年			張昂 訓導
十一年			孫簡
十二年			袁悌 推官
十三年			張舉 市舶提舉

十五年	十七年	十八年	十九年	二十年	二十一年
			張在 知縣 劉燧 復姓張更名緒湖廣畏漢川籍貟外郎		
黃紹文 教諭	錢湧 訓導	鄭洛 訓導	陳清	杜講 訓導	章慈 訓導

二十三年	二十五年	二十七年	二十九年	三十一年	三十三年	三十四年	三十五年
	金鴻知縣			黄驊鼒之子府同知		龍施雲南解元雲南前衛籍郎中	
李禾主簿	陸澍	季恩知縣	朱一峯縣丞	徐沂教諭	朱懋		徐繼芳教授

年			
三十七年			謝銳
三十九年			章瑚 訓導
四十一年			侯甸 教授
四十三年			潘儒 訓導
四十五年			章環 教授
隆慶二年			孫可久 教授
三年			李維嶽 知縣
四年			徐楠
六年			馬應義 訓導

萬曆元年　二年　四年

曾萃

李恩

曹漢

方澄瀓

李宮

縣志實慶元年有李可令考登科錄可乃文天祥榜進士貫處州龍泉故不錄楷書邵顯四人舊誤列歲貢今入薦舉中

高淳

大明　進士　舉人　歲貢

年		
弘治八年		錢啓經歷
九年		湯景賢訓導
十年		王賓訓導
十一年		徐柰
十二年	周鉞宿州籍知縣	
十三年		夏校
十五年		楊鶚
十七年		張坤府同知
十八年		沈顯榮訓導

正德二年	陸庸訓導
三年	孫禎
四年	王釗
七年	陳環
九年	胡容訓導
十一年	劉鑑訓導
十三年	芮銚
十四年	張介
十五年	李潮知縣

十六年			芮誥訓導
嘉靖元年			張傑
二年			柳江知縣
四年			張億
六年			朱珩訓導
八年			魏鏜
十年			周慎知縣
十一年			邢世爵
十二年			邢璠知縣

十三年			黃鎰知縣
十五年			魏廷輔縣丞
十六年		韓叔陽進士	
十七年			夏寧教諭
十九年			陳允思知縣
二十一年			朱栢
二十三年			范璽訓導
二十五年			石清
二十六年	韓叔陽按察副使		

二十八年	二十九年	三十一年	三十三年	三十五年	三十六年	三十七年	三十八年
	張蘊按察副使						韓邦憲叔陽子知
張蘊見進士 張應亮御史僉事		韓孜郎中				韓邦憲見進士	
	張蒼縣丞	張賁主簿	陳九德	張著知州	陳九齡知縣		陳九成縣丞

年	府		
三十九年			劉錚 教諭
四十一年		邢繼本	陳九儀 通判
四十三年			張護 教諭
四十五年			張應圖 知縣
隆慶二年			孫夢龍
三年			柳夢陽 訓導
四年			陳宗堯
六年			夏景星 訓導

萬曆元年	二年	四年
吳大洋		邢世望

縣自溧水而析人物今隸境內者縣志得書科貢在弘治以前者例不當入餘詳溧水下

論曰設科取士之法蓋代有殊焉迺今之論者云取士以言則人尚文取士以行則人尚實若科貢不及鄉舉里選之足以得士也夫天生賢才本爲一代之用此特其賓興之路焉耳

國朝監丁徃代制科之外有人材明經賢良方正等科旋皆報罷而科貢獨盛二百年來豐功茂績先後相望者皆科貢出也奚俟他求哉夫科貢重矣而與玆選者幽明黜陟若黑白然可不慎歟可不慎歟

應天府志卷十一終

應天府志卷十二

薦舉表

泰礿連茹衆正彙征式闢賢塗弘兹化理爰紀

昭代以備獻徵千載而下高風可仰作薦舉表

大明

洪武

上江二縣

陳遇 江寧授尚書不拜

尤仁 上元明經翰林博士

薛原義 知州

鄭琳 主事

張銘善 吏部尚書

王興宗 上元儒士知府

陳祥 江寧知州

王脉 上元按察使

周時中 吏部尚書

杜環 儒士太常寺丞

陳世舉 太常寺卿

永樂　正統　洪武　永樂

嚴岳 知州

姜濬 江寧楷書按察副使

陳中復 江寧楷書翰林待詔

八通 生員禮部主事

句容

周保 懷才抱德知縣

樊傑 經明行修教諭

張文昱 明經侍郎

許淳 明經知縣

黃瑛 教授

朱純 儒士教諭

朱綽 儒士主簿

黃銓 楷書主簿

湯禹文 人材主事

吳良 老人知府

孫伯玉 老人知府

徐添慶 老人通判

張良成 老人縣丞

翁學 秘閣修書太常典簿

胡熟 儒士訓導

江源 儒士訓導

宣德　正統　成化　　洪武

戴玉 知州
孫英 楷書州判官
王道明 經明行修通判
周曦 懷才抱德府經歷
徐淮 楷書評事

溧陽

王可宗 孝廉知縣
史叔傳 通經州同知
王綱 明經訓導

鐵力必失 序班
潘弘 楷書司務
沙瑛 能書通政知事
達貫道 賢良縣丞
繆元 明經紀善
王玉 明經提舉

戴顒 楷書主事
劉復 楷書工副
曹冕 能書中書舍人
馬簡庭 賢良衛知事
王可貞 明經長史
徐仲賢 儒士知府

永樂

普仲淵儒士薦訪使
蔣廷人材知縣
朱亞春孝行司樂
梁常修大典知縣
梁良明經司諫
史世忠明經王簿
許宗亨儒士運使
梁禮按察副使
梁礪楷書知縣

芮耆孫知州
陳翔人材通判
周廉修實錄員外郎
王珪明經訓導
梁貞明經知縣
史公澤茂材僉事
王珏知縣
梁磵教授
楊暉楷書主事

梁礽按察使
梁濟修大典知縣
梁章明經都給事中
梁璣明經府經歷
史文仲生員布政司檢校
梁進二知縣
王文達府經歷
吳豫楷書斷丞

正統

洪武

葛彥忠人材通判　費恭遠人材知縣　朱彥忠人材府照磨

楊文敬明經知縣　蔣亞計人材評事　徐吉人材序班

達聰人材兵馬指揮

溧水

魏澤刑部尚書　湯良臣明經知縣　袁麗融明經知縣

朱潤祖明經訓導　端木以善儒士尚書　姚敬重儒士都御史

嚴與聲儒士知州　萬養性儒士知縣　張天祿儒士主簿

嚴伯修儒士教諭　王良人材按察使　趙居仁人材左通政

陳永人材郎中　汪奉人材知府　曹文慶人材知府

永樂

洪武永樂

薛伯文人材知縣
端木孝文儒士待詔
吳伯堅人材府檢校
李鉉人材府照磨
張景宣人材知縣

江浦

馬信孝廉員外郎
張俊民楷書督府都事知縣

六合

宋原人材縣丞
端木孝思儒士員外郎
黃鑑人材州判官
駱元禮人材縣丞

鄭自強人材衛經歷

嚴恪儒士助教
黃恒人材知縣
陳福人材知事

韋志善人材大使

洪武　永樂　　洪武　　永樂　景泰

唐相知州
邵顒楷書主簿
孫翥楷書布政司經歷

高淳

夏璛經明行修知府
劉穆軍門獻策郎中
桂子淵楷書縣丞
史謙主簿

林肅明經縣丞
凌皜楷書縣丞
潘永忠人材大使

甘霖才優德贍布政使
李旭人材知縣
趙澄人材知縣

謝貞人材巡檢
毛丙楷書主簿

劉樸臺舉知縣
王宗禮人材主簿
邢興人材知府

論曰王者用人如工師用材或以岳貢或以川舒

固未嘗以方所拘也

高皇帝創業之初以搜訪人才爲首務故薦舉之法

與制科並行夫金陵固才藪也公車辟召宜獨盛

于他郡而漢唐以來史牒散逸亡可采者兹斷自

國朝陳遇而下得百三十三人亦盛矣哉

應天府志卷十二終

應天府志卷十三

詔令志

帝城効力羣服莫先
真主施仁萬世允賴固邦之本遂民之天粤稽夏商
大書訓誥作

詔令志

太祖高皇帝免稅糧詔 洪武二年

朕本布衣率衆渡江首定太平次居建業肇興丕
基其鎮江太平宣城廣德爲京師之翼郡至如興

師旅定群雄六合一家軍需錢糧供億浩繁止此數郡以足我用子孫百世何忘江左之民朕心拳拳舊歲曾免稅糧忽遇天旱免無可收縱使不免亦無可徵雖惠不及於心有慊其洪武二年夏秋二稅宣州已行詔免應天太平鎮江再免一年及廣德滁和無爲今歲稅糧亦與蠲免以甦吾民稱朕意焉

又洪武五年

嘗聞國以民爲本民以食爲天此有國家者所以

厚民生而重民命也朕乘群雄鼎沸之時率衆渡江兵屯建業十有八年其間高城墨深濠塹軍需造作凡百供給皆爾近京五府之民率先効力濟我時艱民力繁甚朕心不忘天下一統今五年矣雖嘗蠲免四歲稅糧然猶未足以報前勞是用申敕有司其應天太平鎮江寧國廣德五府洪武五年合納秋糧除頑慢刁狡不行蓋倉完備及多科害民糧長本戶秋糧不免外其所管人民秋糧盡行蠲免有司不許徵收

又

洪武十二年

賞功討罪在昔帝王必斯二事爲先曩因率兵東渡江來姑孰金陵京口宣城廣德徽州長興安吉宜興江陰相次不逾三年盡入版圖當時天下豪傑互相雄長殊聲異教若欲平之非甲仗之餘供給之盛豈能平禍亂一寰宇而爲人主者耶今禍亂以平朕居大位十有一年嘗思六州四縣之民久勞於前雖我子孫累世不忘特以今年秋糧盡行蠲免於戲興王定亂肇福天下惟斯民之勞先

故茲詔諭想宜知悉

又 洪武十四年

朕荷

天地

祖宗護祐山川百神效靈在位十有四年思昔創業之初軍需甲仗惟江左五郡之民其勞甚矣特以洪武十四年秋糧太平應天鎮江廣德寧國五郡除官田減半徵收其民田盡行蠲免

又 洪武十五年

惟

皇上帝眷我生民自統一以來雖暫有雨暘愆期終未凶荒然朕豈不知江左之民減衣薄食助我興王供給浩繁安撫貧窘特以洪武十五年夏秋稅糧除官田減半入官不爲常例民田稅糧盡行蠲免

又洪武二十八年

朕二十八歲渡江二十九歲入建鄴皆秣馬勵兵與群雄茲驅旌旗甲仗一應供給皆出我江東五

郡之民以此平定天下禍亂海内寧謐朕今老矣
思民効勞無可撫勞今特以洪武二十八年合納
官民秋糧盡行蠲免少蘇前日之勞
又洪武二十九年
朕定天下之初一應供給皆出太平寧國應天廣
德鎮江五府之民守内康寧已有年矣思民効勞
無可撫勞今特以洪武二十九年秋糧不分官民
田地盡行蠲免
諭曰

聖祖開天多助之至民之好義蓋有以感之也而念
茲効勞免租之
詔無歲不下深仁厚澤淪洽民心者至矣本固邦寧
寔永賴之有民社之寄者可不繹思
謨訓求所以休養生息以仰懈
於昭在上之心矣乎

應天府志卷十二終

應天府志卷十四

風土志

天啓神符地標靈紀時維豐鎬首善之區聲教所漸淳風沕穆順帝之則於萬斯年作風土志

上元附廓赤縣在府治東北東至周郎橋與句容界西至古御街中分南至永豐鄉白米湖與江寧界北至大江中流與六合界廣九十五里袤八十五里鍾阜龍盤石頭虎踞獅子石灰臨沂直瀆諸山

牙趾相入北枕大江阸過於湯池自晉宋以來衣冠萃止人物繁盛士皆重廉讓耻吝眦以文章致聲名取爵祿者甚衆不尚交搆杜氏通典云永嘉之後帝室東遷衣冠之族多渡江而南藝文儒術于斯爲盛今雖閭閻賤隷處力役之際吟詠不輟盖顔謝徐庾之遺風焉顔氏家訓云江東婦女畧無交游婚姻之家或十數年間未相識者惟以信命贈遺致殷勤而已顔介云南方水土柔和其音清舉而切天下之能言唯金陵與洛下耳楊萬里

云金陵六朝之故國也有孫仲謀宋武帝之遺烈故其俗毅且美有王茂弘謝安石之餘風故其士清以邁有鍾山石城之形勝長江秦淮之天險故地大而才傑楊演云建業自六朝爲都邑民物浩繁人才輩出實士林之淵藪戚氏志云金陵山川渾深土壤平厚在宋建炎中絶城境爲墟來居者多汴洛力能遠遷矩族仕家視東晉至此又爲一變歲時禮節飲食市井負衒謳歌尚傳京城故事地當淮浙之衝談者胃有浙之華而不撓淮之淳

而雅斯得之矣諸所稱列足據者若此上元風俗因可概見至宋安撫司幹辦官游九言云毋愛金陵士風質厚尚氣前年攝行倅事日受訴牒纔當劇郡十之一耳爲吏爲兵者頗知自愛少健狡之風工商負販亦罕聞巧僞視今廼少殊焉

江寧附廓赤縣在府治西南東北界於上元自三山街折南古御街中分抵聚寶門東至武定橋止又自三山門至三山街盡折南處然斗門橋歷北乾道倉巷内石城門亦爲縣境城之外自聚寶門東南達

雙橋門至烏刹橋與溧水界西北歷馴象諸門以至于龍江關又西至鰻鱺洲大江中流與江浦界東西不及上元十里南北過上元十三里其形勝風俗大抵畧同但江寧地多在城西南隅秦淮水秀而清國初所實率蘇杭右族習尚豪侈猶有六朝遺風而上元近東北者敦厚朴實鮮以華靡相兢然居鄉者特獷悍不若江寧畏法易治此其不同者也句容畿縣在府東九十里東至丹陽山口爲界南至溧水丁塘所爲界西至上元周郎橋爲

界非至儀真大江中流爲界廣七十里袤倍之四面山水環遶陶弘景云東視則連峯入海南眺則重障切雲西臨江滸北接駒驪其人秉性愿確習尚禮義鄉隣婚喪貧乏者互相周濟以地窄人稠自勤農之外列肆而居者若鱗次然其貿易于外者尤衆以故家多富饒而文物頗盛往往與舊志所稱相符然善自生殖析利至秋毫而豪右之族婚娶競以奢侈相尚視諸縣爲特異也

（溧陽）畿縣在府東南二百四十里東至荊溪村與宜興界西

至三塔村與溧水界南至石屋山與廣德界北至丫髻山與句容界廣百里袤百五十里舊志云南列屏山北橫亙屋兩江交注五堰連瀦又云西山橫嶂南北分峙江走兩山之間而東山之闕者廻還其流此形勝之大觀也民俗椎魯果毅務農植穀不事商賈然好氣尚力舊稱獷狡難治縣志云民居其間君子尚樸質好儒術小人力畊植少商旅婦女不出戶閾不事交游文藝盛于潘乾之後節義襲于貞女之餘然角氣惑邪或未能盡變云

溧水畿縣在府東南八十五里東至回峯山與溧陽界西至烏刹橋與上元界南至牌岡與宣城界北至上義山與江寧界廣一百里袤一百十里縣自溧陽而分其形勝風俗大抵畧同舊州志稱其有山林川澤之饒民勤耕稼魚稻果茹隨給粗足雖無千金之家而罕凍餒之民信巫覡重淫祠畏法奉公各守其分安業重遷尼好文學承平時儒風藹然爲五邑之冠縣志云民勤而力稼士重而多介山川碩老樂相恬退有童而野處華顛未識

公署者此亦足以見其異同矣大都樸茂視溧陽而囂健爲少減云（江浦）畿縣在大江北去府西四十里東至江寧以大江中流新興洲尾爲界西至滁州以後河中流費家渡爲界南至和州以大江中流鰟魚洲尾爲界北至六合以三汊河爲界廣一百一十里袤加五里縣自浦子口城遷建曠口山之陽東據大江西通滁鳳南控湖襄北跨淮泗實爲水陸要會本以滁和六合地割置故其民風土俗大率相類（滁志）其習尚勤儉（和志）言其習

尚淳質好儉約益地當紛更賦役繁重民惟勤儉不事末技故百餘年來舊俗不改自定山諸公相繼而起士風日盛民知畏法而强暴健訟者寡俗之可重者以此餘具六合語中六合縣在大江北去府西北一百三十里東至褚家堡與儀真界西至虢墩與來安界南至浦子口與江浦界北至汊澗與天長界廣八十里袤一百六十里舊稱望邑大江奔流其南滁河縈出其西東有靈岩之廻伏北有冶山之雄峙乃南畿屏障房翰叔孫矩張

昌沈時記足徵風俗矣與揚州同後改屬應天應天文雅好儒術有相類者然地當南北之交舟車輻輳其乘堅刺肥交通厚勢者皆富商大賈而儉約敦樸柔𣢾乃其故習云昔時楊延朗子見其俗淳遂家焉今宦藉于此者頗衆

高淳畿縣在府東南二百四十里東至溧水儀鳳鄉戲墩界西至當塗丹陽湖界南至建平蓮花池界北至江寧界廣一百五十里袤九十里地形夷曠山少而水多荆山拱其前臙山擁其後丹陽石臼固城環繞其左

右舊志云縣自溧水分置地控三湖專事耕植逐末者寡第冠婚喪祭未能盡如古禮而角力尚氣以財勢相雄長挾數健訟以法律爲詩書無能盡改于舊然嘉靖初學記謂自學政聿興士風寖盛富家漸知禮度貧民耻于匄乞婚姻論閥閱市井鮮慱戲無逋賦無嚚訟老稚不敢懷詐暴憎閭閻寖成敦本儉朴之俗則感應之理于斯可見大抵江以南物力豐厚風流文雅而奢靡相高遊冶相尚則其俗之獘者江以北敦朴儉素猶存古風而

園桃沮洳不能免云

論曰瘠土之民勞勞則思善樂土之民逸逸則滛佚土地之與民風風顧不相關哉廼傳云上行下效謂之風衆心安定謂之俗則教化又其所繇矣金陵山水清麗士生其間大抵崇廉讓好儒術其小人亦皆勤於作業家有盖藏市鮮巧僞斯其可稱述者入

國朝來治化隆洽俗尚淳朴若弘治正德間彬彬乎進於古矣

應天府志卷二十四終

應天府志卷十五

山川志

扶輿之氣融結而成以流以峙奠茲江表山繞而輝川爭而媚人文之萃民利寔興作山川志

上元

神烈山舊名鍾山在東北朝陽門外志云東連青龍山西接青溪南有鍾浦下入於秦淮北接雉亭山相傳山有王氣今爲

孝陵嘉靖中

詔改今名例非郡所得書特志其形勝大觀山周迴六十里高一百五十八丈諸葛亮對吳大帝云鍾山龍盤指此漢末有秣陵尉蔣子文逐盜死事於此孫吳改曰蔣山又名金陵山又名紫金山晉元帝未渡江時望氣者云山常有紫氣又名北山即南齊周顒隱處孔璋作北山移文者兩峯秀起北一峯最高其巔有一人泉僅容一勺挹之不竭循泉西爲黑龍潭相傳曾有龍現今深廣不數尺其上爲太子岩又名曰昭明讀書臺岩西有峴曰裁

松 輿地志云蔣山本少林木東晉令刺史罷還栽松百株宋時令刺史栽三千株下至郡守各有差

曰陽梅岩曰頭陀緣蔣祠有玉澗 王安石詩澗水無聲遶竹流竹西草木弄春柔茅簷相對坐終日一鳥不鳴山更幽 其崇岡曰孫陵 何遜詩昔在零陵厭神器若無依逐鹿爭先捷掎鹿競因機呼噏開伯道叱咤掩江畿豹變分奇略虎視肅戎威長蛇衂巴漢驥馬絕淮淝交戰無內禦重門豈非扉成功舉已棄凶德悔亦 蓮水龍忽東騖青蓋乃西

歸揭來已永夕乞代[illegible]兼微苔石疑文字剜墳失是非山鶯空曙響朧月自秋暉銀[illegible]終無浪金烏會不飛閒寂今如此螳螳沾人衣宋九日臺在焉峰之秀者曰屛風嶺後曰桂嶺碧石青林幽阻深靚其東有道士塢即陳宣帝禮玄靖臧兢處道卿巖宋葉清臣字道卿嘗遊其間八功德水在其下舊志云在悟真庵後謂一清二冷三香四柔五甘六淨七不饐八蠲痾自梁以來嘗取供御案梅摯亭記梁天監中有胡僧曇隱寓錫於此山中乏水

有麗眉叟相謂曰予山龍也知師渴飲措之無難俄而一沼沸出後有西僧至云本國八池已失其一竭彼盈此洪武間遷寺東麓舊池就涸從寺東馬鞍山下通出宣德間水竭不到至正統元年久旱忽湧出如初宋曾極詩數斛供厨替八珎穿松漱石瑩心神中涵百衲烟霞氣不染齊梁歌舞塵

西折爲桃花塢道光泉宋熈寧間僧道光所劚宋熈泉陂左有東澗石邁古跡編云梁處士劉訏隱居之所尤精釋典嘗聽講於鍾山諸寺因卜築宋

熙寺東澗有絲[illegible]茱萸塢金陵志云蔣山南平陂中舊有茱萸園宋道士陸靜修餌茱萸于此山之南有岡曰獨龍阜峯曰玩珠梁釋寶誌墓在焉起浮圖五級今移置東麓塔之西有洗鉢池落叉池又有猿驚鶴怨二谷則好事者所加東山巔有定心石山之半有井其泉與江潮盈縮名曰應潮井酉陽雜俎云蔣山有應潮井在半山之間俗傳與江潮相應嘗有破舡朽板自井中出貞觀中有牧兒汲水得杉板長尺餘上有朱漆字曰吳赤

烏二年豫章王子駿之船古跡編亦云應潮井在蔣山古頭陀寺後舊志所云若此井與江近地脉相通或有之餘不免附會南麓又有霹靂溝（宋王安石詩）霹靂溝西路柴荆四五家憶曾騎款段隨意入桃花）有曲水晉海西公疏以宴百僚宋時以三月三日祓除於此（謝惠連詩）四時著平分三春禀融爍遲遲和景婉夭夭園桃灼攜朋斯郊野昧旦辭壓郭斐雲興翠嶺芳飈起華滸解轡偃崇丘藉草繞回壑際渚羅時蔌託波泛輕觴）山之支迤

運而南隱然簇起者爲龍廣山唐地理志云江南道其名山衡廬茅蔣朱紫陽亦云天下山皆發源于岷山蔣山實其脉之盡者自孫吳建都以來便稱佳麗名賢勝跡兹山爲特富累朝崇尚虚無琳宮梵宇亦窮極華麗蓋七十餘所今無復存者亦據載籍志其名云

劉勔别墅 在鍾嶺之南聚石蓄水以爲棲息朝士雅素者多從之游

招隱館 在西巖下宋元嘉中文帝築以居雷次宗

會宗堂 晉朝謝尚齊朱應吳苞孔嗣之梁阮孝緒劉孝標並隱

於此唐大厤中處士韋渠牟亦隱此地號遺名和

顔真卿爲題其堂

兩翁軒 洪覺範詩序云悟真庵西踈竹林間蒼崖千尺歲久折裂余數行山中至此未嘗不徘徊庵僧爲開髙軒向之因詩云水遶脩竹繞堪數林外蒼崖巳半頽

定林寺 宋文帝元嘉十六年建

草堂寺 在山之西齊周顒建以居僧慧約即顒舊隱所王安石詩云偶向松關覓舊題野人休誦北山移丈夫出處非無意猿鶴從来自不知

大愛敬寺 在山之西梁武帝建江表上巳多

遊於此（梁武帝詩云山峙入周天地縈帶極長川稜層疊嶂遠迤邐磴道懸。李廷勲詩）溪雲藏寺靜風磬摘林鳴臺古松多折碑荒字欲平

太平興國寺在獨龍阜梁天監十三年即寶誌塔前建開善寺唐乾符中改爲寶公院南唐後主又改爲開善道場至宋太平興國五年增修詔改今名（崔峒開善寺詩）山殿秋雲裏香烟出翠微客尋朝磬食僧背夕陽歸下界千門見前朝萬事非看心兼送目葭菼暮依依

靜壇（梁侍中周捨立武帝問壇如何對曰

風不鳴條雲無膚寸鹿巾黄帔甚多白簡朱衣罕
至明慶寺在鍾山南八功德水前秀峰院距寶林
寺梁大建中武帝與寶公同遊此山因以同行爲
額唐會昌中廢楊吳太和中復建後改爲秀峯院
有琪樹在法堂前（梅摯詩云）影共金田潤香隨碧
月流遠疑元帝植近想寶公遊建炎間兵火燬琹
徽寺在寶珠峯頂悟眞庵前近八功德水定林庵
宋安王石讀書處米元章榜曰昭文齋崇禧萬壽
寺元泰定四年建又有七佛庵霜筠庵雪竹庵宋

慨寺寺西百餘武曰白蓮庵庵前有白蓮池彈琴石南麓有朱湖洞茲山之可紀者南齊時崔慧景遣千餘人魚貫緣山西巖夜下鼓譟臺軍震恐侯景及邵陵王綸率西豐公大春等馬步三萬發自京口直據鍾山景黨大駭陳大寶元年齊軍潛至鍾山踰龍尾皆此地沈約應詔詩靈山紀地德險峭資岳靈終南表秦觀少室邇王城翠鳳翔淮海襟帶繞神坰北阜何其峻林薄杳蔥青○發地多奇嶺千雲非一狀合沓共隱天參差互相望鬱律

構丹巘崚嶒起青嶂勢隨九嶷高氣與三山壯〔耿崞鍾山紫芝觀詩〕縈丹仙宅下清磬落春風雨過芝田長雲深藥徑重古房清磴接虛殿紫烟濃鶴駕何時去遊人自不逢〔蘇軾詩〕到任席不煖居愁空惘然好山無十里遺恨恐他年欲款南朝寺同登北郭船朱門妝画戟紺宇出青蓮夾路蒼髯古迎人翠麓偏龍腰蟠故國烏爪寄層巔竹杪飛華屋松根泣細泉峯多巧障日江遠欲浮天畧約橫秋水浮屠挿暮烟歸來踏人影雲細月娟娟

覆舟山在太平門內與鍾山支脉相連兩山之閒土
中皆石蓋山之骨以狀若覆舟故名又名龍山又
名龍舟山劉宋時以山臨玄武湖改玄武山陳高
祖與北齊兵大戰即此舊有甘露亭瑶臺閣風亭
山陰藏氷井今皆廢宋孝武詩束髮好怡衍弱冠
頽流薄素想終勿傾聿求果丘壑脩峯亘天維曠
渚綿地絡逢皐列神苑遺壇樹仙閣松墱含青暉
荷源煜丹爍川界泳遊鱗岩庭響鳴鶴齊王融詩
道勝業茲遠心閑地能閒桂崦鬱初裁蘭皐坦將

闌虛簷對長嶼高軒臨廣液芳草列成行嘉樹紛如積流風轉圜逕清烟汎喬石月泊山照紅松映

水華碧暢哉人外賞遲遲眷西夕

鷄鳴山在覆舟山西南北臨玄武湖舊名鷄籠山即雷次宗開館處劉宋時黑龍見玄武湖又曰龍山國朝於山巔築臺置儀表以測玄緯名觀象臺亦名欽天山左右列十廟繚以朱垣其東麓爲鷄鳴寺

普濟塔在焉

祇闍山在鷄籠西舊有祇闍寺

石灰山在西二十里王導從元帝渡江建幕府於此初名幕府山巃嵸多石居人煅以取灰更今名北濵大江東與直瀆諸山接爲建業門戸魏人至瓜步文帝登此山觀望形勢齊師至鍾山龍尾陳霸先自率麾下出幕府山齊人大潰山有五峯南曰北固峽中有石洞幽邃中峯上有仙人臺虎跑泉西北峯曰夾蘿亦名翠蘿上有達摩洞（喬宇詩）緣江村落帶林皐幕府秋晴爽氣高蒼嶺烟嵐開日馭紫霄宫闕瀉雲濤地逢多景詩無暇客是同心興

外象道眼看来誰了了笑看塵海一鴻飞

直瀆山在北二十五里吳將甘寧墓在此或云有王氣吳主皓惡而鑿其後爲直瀆山因名

大壯觀山與直瀆接陳宣帝起大壯觀於此

觀音山在觀音門外北濱大江西引幕府諸山東連臨沂衡陽諸山形如錯繡皆懸岩削壁共捍大江真天造地設也

臨沂山在東北四十里臨沂故城在其西南

雉亭山與臨沂接齊武帝遊鍾山射雉於此

衡陽山去雉亭東北五里許朗法師居此有衡陽神女来聽講後爲此山之神因名

攝山與衡陽接山多藥草可以攝生有水注江乘浦入攝湖即秦始皇所從渡江者而志云江乘浦在縣西北豈有兩江乘浦哉考之在東北者爲江乘浦故縣以江乘名在西南者爲江寧浦故縣以江寧名圖考誤又名繖山齊時隨石勢大小鑿佛像千餘名千佛嶺江總碑明僧紹居士子仲璋爲臨沂令於西峯石壁與度禪師鐫造石佛齊文惠太

子豫章竟陵諸王繪飾之每一岩一佛或十餘者惟嶺下一巖五丈内坐釋伽傍立菩薩二皆四丈八尺不知何年盡斷其首復續下爲天開巖沈傳師徐鉉張稚圭祖無擇諸題名尚存嶺傍有白乳泉俱山勝處陳慶之大破齊師虜蕭軌即此（陳后王同江總遊山詩時宰磻溪心非關狎竹林鷲岳青松繞雞峯白日沉天迥浮雲細山空明月深摧殘枯影樹零落古藤陰霜月夜烏去風露寒猿吟自可盡出俗詎是願抽簪）（唐權德輿詩）攝山標勝

紀暇日諳想矚縈廻松路深繚遶雲岩曲重樓回樹秋古像作山腹人遠水木清地幽蘭桂馥層臺聳金碧絶頂摩淨緑下界誠可悲南朝紛在目焚香入古殿待月出深竹稍覺天籟寂自傷人事促宗雷此相遇偃仰隨所欲清論月輪低閑吟茗花熟一生如土梗萬慮皆桎梏永願事潜師窮年此棲宿

顧況詩過明徵君舊宅陳後主題詩跡在人亡處山空月滿時寶瓶無破響道樹有低枝巴足傷離客仍逢靳尚何

盡石山在攝山東岩下有石穴曰花洞
落星山在攝山北吳時建樓吳都賦曰字戎旅乎落星之樓
木䕅山在東北二十里江乘記云山陽有鍾乳穴
白山在東北三十里南與神烈接山産白石可為碑礎梁散騎常侍帛載有田十餘頃江乘之白山築室屛居不入籬門者十載今城西南近幽棲山有小山亦名白山
竹堂山在東七十五里西與白山接

雲穴山在竹堂東南有石穴天欲雨則雲氣蓊然

湯山在雲穴東山不甚高且童湯泉出其下禽鳥入

輙死以灌草木則愈鮮茂

大城山在東七十里西與鴈門接

鴈門山在東六十里山勢連亘類壯地鴈門東北有

溫泉輿地志云白山鴈門竹堂並連帶建康東北

綿亘三四十里

武岡山在東二十五里

青龍山在東南三十里山產石材質甚良都人競取

爲碑礎前有蘼蕪澗金陵故事云齊處士劉瓛居此爲儒林之宗至四十未婚其友爲娶王氏乃就澗折蘼蕪而去

彭城山在青龍南

祈澤山在彭城西宋王安石詩駕言東南遊午飯投僧館山白梅蓝長林黄柳芽短苓蓿沙際来畧勺桑間斷春映一川明雪消千壑漫魚隨竹影浮鳥惧人聲散玩物豈能留干時吾自懶

符堅山在東南六十里北連大城山謝玄破秦歸謝

安問其方略玄指此山曰此若符堅駐軍之山

石跪山在東南二十里始皇鑿秦淮此是其斷處

土山與石跪近山無岩石晉謝安嘗遊陟於此以擬會稽東山又名小東山即與玄圍棋賭墅處〔唐李白詩〕不向東山久薔薇幾度花白雲還自散明月落誰家〔又〕我今攜謝妓長嘯絕人群欲報東山客開關掃白雲

張山在東南三十里

丁山在東南四十里

方山在東南四十五里山頂平如鏇一名天印山秦淮經其下齊武帝嘗欲于此起離宮期勝新林苑徐孝嗣曰繞黃山欵牛首乃盛漢之事遂止徐嗣徽兵至秣陵齊人自方山進及倪塘（齊王融詩）巡躅望登年張飲臨秋縣日羽鏡霜潯雲旗落風甸四瀛良在目八寓宛如見小臣竊自嘉預奉柏梁讌

獅子山以形名在北二十里晉元帝初渡江見山嶺綿延遠接石頭以比北地盧龍故其初名盧龍山

遠望松檜行列宛若狻猊雄峙都城之北

聖祖嘗伏兵大破陳友諒於此山下（喬宇詩）江堰萬家開迤邐石頭千堞遶崔嵬

馬鞍山以形名在西北與獅子接

四望山在定淮門與獅子馬鞍相屬西臨大江蘇峻反溫嶠築壘于此以逼賊今以清涼寺後為四望者非

石頭山在西四里即楚金陵邑吳晉時江在石頭下為險要必爭之地上築城嘗以腹心大臣守之南

北戰伐咸據此爲勝負事詳紀中江乘地記云吳之石城猶楚之九疑也自江北而來山皆無石至此山始有石因名石頭云　國朝都城皆據岡壠之脊下有龍洞又名桃源洞舊志云東麓有虎踞關山謂自鍾山西來疊嶂若門闕然今山形皆不甚高何得與天闕比諸葛謂石頭虎踞故名山耳後有駐馬坡諸葛亮嘗駐此以觀形勢（唐李白詩）

石頭巉巖如虎踞凌波欲過滄江去鍾山龍蟠走勢來秀色橫分溧陽樹四十餘帝三百秋功名事

迹隨東流白馬小兒誰家子泰清之歲来闢囚金陵昔時何壯哉席卷英豪天下来冠盖散爲烟霧盡金輿玉座成寒灰扣劒悲鳴空咄嗟梁陳白骨亂如麻天子龍沉景陽井誰歌玉樹後庭花此地傷心不能道目下離離長春草送爾長江萬里心他年来訪商山皓

陶安詩

鐵壁巉巖阨要衝古来設險大江東半天虎距山如舊萬壑鯨吞地更雄上國控臨吳楚郡西藩環護帝王宮當年駐馬坡前望想見金陵氣鬱葱

白土岡在鍾山南賀若弼進兵鍾山魯景達屯白土岡與弼旗鼓相對

武帳岡在石灰山側即古宣武城地宋文帝嘗開宴于此敕諸子且勿食至會所日旰食未至各有飢色帝戒之曰女曹少長豐佚不見百姓艱難今使爾識有飢苦知務節儉

謝公墩在半山寺 俗傳謝安所嘗登也其事無據李白王安石皆有謝公墩詩白詩云冶城訪遺跡猶有謝公墩今永壽宮冶城山即安與王羲之所登

悠然遐想之地安石雖有我屋公墩之句而又有詩云問樵樵不知問牧牧不言亦自疑之矣江左謝氏衣冠最盛謂之謝公豈獨安也今半山寺所在舊名康樂坊及墩名觀之恐是玄及其子孫所居後人因名之耳今冶城北二里有山亦名謝公墩山勢自鍾山來起伏曲折實城西北隅勝處近惻爲蔬圃止存一徑土色赤亦呼爲紅土山據李詩集云冶城西北則此地近是

大江發源岷山合湘漢豫章諸水繞都城之西南經

西北過鎮江東流入海隸府境者江之南上自慈姥浦下至下蜀港江北上自浮沙口下至東溝南二百里而遥北不及二百里即禹貢所謂中江亦名楊子江又名宣化江江之支流旁出其大者曰河小者曰港曰溝曰渡石激水曰磯水中可居處曰洲兩水之間曰夾縈廻者曰套水所注曰浦異時江泊石頭後漸徙而北今又漸南長老相傳南岸民居今當在北岸然尚去石頭十餘里也以此知陵谷變遷典籍難據茲特志其可知者慈姥浦

在城西南慈姥山下與太平當塗縣接舊志云慈姥港濺慈湖以東水入於江近港又有慈姥磯今曰和尚港東下爲鐮刀灣又東爲烈山乾道志云吳舊津所也四向峭絕下瞰大江商旅泊舟於此以避風宋晁無咎詩山如浮玉一峯立江似海門千頃開我欲此中成小隱莫教山脚有船来山之下洲爲烈山洲港曰烈山港伏滔北征賦謂之栗洲以山形似栗因名又謂之溧洲世說云桓宣武在南洲與會稽王會於溧洲漾丹江側謝公亦在

坐狂風忽起波浪洶湧非人力所制桓有懼色會稽亦徵異惟謝怡然自若頃間風止桓問謝曰向那得不懼謝徐笑曰何有三才同盡理

有磯突出於湍間名曰亂石磯洲之東北是爲白鷺洲丹陽記云白鷺洲在縣西三里大江中多聚白鷺因名據今西關中街水環遶處當爲白鷺洲此特蒙其名耳非李白所詠也犢兒磯在南岸上接江寧河口下爲大勝河內合板橋浦李白有板橋浦懷謝朓詩

新林浦舊志云浦在城西南二十里一名新

林巷宋曹彬破南唐兵於新林港即此（謝朓詩）江路西南永歸流東北騖天際識歸舟雲中辨江樹旅思倦遥遥孤遊昔已屢既懽懷祿情復協滄洲趣囂塵自茲隔賞心於此遇雖無玄豹姿終隱南山霧（又發新林浦至京邑）大江流日夜客心悲未央徒念關山近終知道路長秋河曙耿耿寒渚夜蒼蒼引領見京室宮雉正相望金波麗鳷鵲玉繩低建章驅車鼎門外思見昭丘陽馳暉不可接何況隔兩鄉風雲有鳥路江漢限無梁常恐鷹隼擊

時菊委秋霜寄言蔦羅者寥廓已高翔李白詩明發新林浦空吟謝朓詩暫行新林浦定醉金陵月爲一流吐納大江自大勝河以東有水數曲達於秣陵曰響水溝燈盞溝上新河次曰中新河次曰下新河 國朝所開皆瀕江要地江北一帶稱險要者曰芝麻河曰穴子河曰王家套曰八字溝皆列墩瞭望又有長洲白沙洲梅子洲句容洲秀才洲火藥洲皆境江浦自下新河而東分爲三股一引石城橋一引江東橋一自草鞋夾以達於江名

曰三汊河夾之外爲道士洲上有屯駐處曰江心營近南爲護國洲中口洲自道士洲直抵北岸爲浦子口左右二水環抱縈廻名東西溝自東溝而下以達於瓜埠濵江之地以洲名者曰攔江洲工部洲官洲老洲柳洲趙家洲匾檐洲洲之東曰匾檐河其北曰滁河沿瓜埠鎮東南流以達於江江之名曰宣化漾有洲亦名新洲自是而下爲礬山山屹立中流石色白類礬故名又數里爲西溝近黄天蕩者爲東溝二水自江出皆折而西與儀真

縣接六合江境盡於此焉自中口洲而下有山踞江而出者曰焦家嘴又其下爲觀音山水曰觀音港有石臨瞰江水形如飛燕名曰燕子磯丹岩翠壁遠望如画江山勝處也磯上有漢壽亭侯關羽廟觀音閣俯江亭大觀亭水雲亭多名賢題詠由弘濟寺歷濤山唐家渡袁家河東陽港遂接黄天蕩中有洲屬上元其上爲草塲自龍潭而東洲渚限隔有斜腡洲太子洲洲之外有老鴉夾又東爲天寧洲皆句容界其諸水分流有曰白家溝楊家

港雙灊港羅四港而邪灊尤爲津要自此而下遂與鎮江接江之中可紀者若此稽諸舊志多有不合其今昔殊稱名存實亡者據舊志亦附入焉硐砂夾在西南七十里馬家渡合興洲西南九十五里龍潭洲西南九十五里馬昂洲西北晉元帝渡江投馬處梁南康王會理率兵二萬至馬昂洲即此概洲東北七十五里茄子洲西南十三里蔡洲西二十五里宋高祖破盧循即此王安石送張拱微詩子今涉東江船必泊蔡洲雞距洲西南三十

里烏沙洲西南三十五里楊林洲西南二十五里木瓜洲西南二十八里浮洲西南八十里龍潭洲西南九十五里鰻鰠洲西南七十里重雲洲西南十五里西有小江名澧江丁翁洲西南二十五里簰槍洲西南三十五里落星洲見落星山魚袋洲西南八十里形如鯽魚因名烏江洲西南六十里與烏江縣接張公洲西南五里長命洲石頭城前梁武帝放生之所查浦石頭城南上十里蚵蚾磯石頭城下唐昔江台符上書陳民間利病十餘

倐顯祖愛其才宋齊丘疾之使所親誘之痛飲沉

蚵蛂蟣下**蟹浦**西北十六里齊崔慧景軍敗走蟹

浦即此**新洲一名薛家洲與幕府山相對**即宋高

祖微時伐荻處**迷子洲**西南四十里（王安石詩）迷

子山前漲一洲昔人圖志未編收是尚有迷子山

投書浦石頭北晉殷羨爲豫章守赴郡人多附書

至石頭渚以書擲水祝曰沉者自沉浮者自浮殷

洪喬非致書郵（權德輿晚渡楊子江詩）返照滿寒

流輕舟任摇漾支顺見千里烟景非一狀遠岫有

無中片帆風水上天青共鳥滅洲迴夾沙漲倒晚疊秋風江空翻宿浪冒中千萬慮對此、清曠迴首碧雲深佳人不可望（李白金陵望江詩）漢江迴萬里派作九龍盤横潰豁中國崔嵬飛迅湍六帝淪亡後三吳不足觀我君混區宇垂拱衆流安今日任公子滄波罷釣竿

論曰自古國江南者皆以江爲險曹操連兵百萬而周瑜以偏師挫之赤壁魏文臨江鞠旅有天限南北之語拓跋甞至瓜步矣石虎甞至歷陽矣符

堅嘗至淮淝矣皆敗衂而歸此皆阻於江而不得馳者也然孫吳據江而王濬直至建業陳人據江而韓擒虎宵渡采石江豈足盡恃哉顧守之何如耳

國家特設重臣專督操江而又有巡江御史往來經略其各府州縣有司巡徼若星羅棊布互相應援法亦可謂密矣日者劉賊竊發往來如无人之境而倭奴之警留都轟轟然且有隱憂焉此豈可不深圖之哉夫兵政廢弛乃思招募招募既多坐耗

廪餼異時所養兵皆置之无用之地今東南財力竭矣於難用之中而求可用之實於養兵之內而寓息民之意是在深謀石畫之臣究心云

御河　國朝開在大內東出青龍橋西出白虎橋至栢川橋與城濠合

秦淮始皇用望氣者言鑿方山斷長壟以泄王氣其源二一出句容華山一出溧水東廬山合流入方山埭自通濟水門入於都城北經大中橋與城濠合西接淮青橋與青溪合南經武定橋而西又歷

鎮淮飲虹上下浮橋自三山水門出沿石城西北流以達於江或云本龍藏浦也支流屈曲不類人功惟方山西瀆屬土山三十里許是秦開六朝建都咸倚之爲固（唐杜牧詩）烟籠寒水月籠沙夜泊秦淮近酒家商女不知亡國恨隔江猶唱後庭花

吳柵塘　横塘　梁緣淮塘俱秦淮上見紀中

桃葉渡秦淮上今武定橋北

長樂渡秦淮上古朱雀航處今武定橋西

桐樹灣秦淮上今鎮淮橋稍東

丹子洲在秦淮上與桐樹灣近

汝南灣當秦淮曲折處汝南王渡江家於此

青溪吳赤烏中鑿自鍾山麓通城北塹以洩玄武湖水其流九曲達於秦淮後楊吳築城斷其流今自大平門城由潮溝南流入大内西出竹橋入濠而絶又自舊内旁周遶出淮青橋皆其故跡

運瀆吳鑿引秦淮抵倉城以通運道今自斗門橋南引秦淮北流至北乾道橋遂東經太平景定至内橋與青溪合北經昌新崇道橋又西連武衛橋從

鐵窗稜出城

潮溝吳鑿以引江潮東接青溪南抵秦淮西通運瀆北連玄武湖按實錄云潮溝東發青溪西行經古承明廣莫大夏等門則今十八衛處也西極都城墻對歸善寺西南角南出則今雞籠山東也經閶闔西明門接運瀆則今笪橋西北也據後湖水經大内城下流入竹橋者殆其故跡〔南唐徐鉉詩〕潮溝橫趣北山阿〔宋張文定詩〕潮溝一面已生蒲即此

楊吳城濠楊溥城金陵時所開自北門橋東流歷珍

珠橋折南截于通濟城支流與秦淮合又自通濟門外西南流遶聚寶門外納重驛澗子諸橋水遂從西北至三山門復與秦淮合以達于江

珍珠河在成賢街南金陵志云陳後主泛舟遇雨生浮漚宮人指爲珍珠因名此河通護龍河至太平橋西分兩派一派出柵寨門一派出秦淮據志言即運瀆也恐非今自玄武湖繞國子監號房後達珍珠橋者爲是大抵潮溝珍珠河二水皆引玄武湖合于秦淮後南唐築城遂絕其流今惟存西北

一帶云

護龍河宋鑿即舊子城外三面濠今自昇平橋達于上元縣後至虹橋西南出大市橋而止

新開河宋元鑿自三山橋歷石城橋定淮諸門由草鞋夾以達于江又自三汊河而南過江東橋與元運道合

元運道在陰山下至元間開以通糧運由大城港入江

國朝城濠朝陽門外自西折於北

古漕河一名靖安河自靖安鎮下鈌口取道入儀真新河八十餘里吳聿靖安河記畧曰江出岷山道峽與荆湘沅澧至洞庭積爲巨浸合沔水經潯陽東連彭澤别爲九道會爲中江東北至南徐州爲北江入于海惟中江自湖口合流而下奔放蕩潏吐吞日月山或磯之則其勢悍怒觸舞大艑兀若轉梗至其廣處曠數百里斷岸相望僅若一髮而舳艫上下中流遇風則四顧茫然亡所隱避自金陵抵白砂其尤者爲樂官山李家漾至急流濁港

口凡十有八處稱號老風波而玩險阻者至是鮮不袖手東南漕計歲失於此者什一二宣和六年發運使盧公訪其利病得古漕河于靖安鎮之下缺口謂其取逕道于青沙之夾趨北岸穿坍月港繇港尾越北小江入儀真新河以抵新城下往来之人高枕安流八十餘里以易大江百有五十里之險實爲萬世之利役之始興楊子六合上元分治之云

新河在白鷺洲西南流逼大江二十餘里舊名蕃人

河今呼爲新開河

蘆門河在上元縣長寧鄉去縣六十里亦名蕃人河

景定志云蘆門河在蘆門渼之側建炎間始開以通眞州今黄天蕩南王諫議蘆場内是其處按韓世忠碑及建康年表似兀朮自金山脱走之後沿江南岸引行先於黄天蕩南蘆場鑿渠出江口以通建康而後又於冶城西南鑿渠出江故蘆門新開二河皆名蕃人河所謂蕃人者即四太子也南畿志云四太子河不知所在疑即此

竹篠港西至靖安東至石步南至直瀆北臨大江屬縣金陵長寧兩鄉由靖安港口至城二十里由石步港口至城四十里按竹篠港東連石步石步在今長寧鄉而蘆門河亦云在長寧鄉今縣東北近龍潭有河直達大江曰河口而誤呼竹篠爲竹簫此志之可據者也然又云西至靖安南至直瀆靖安近盧龍山直瀆在直瀆山後不應有此數十里但據蘆門河下所載則竹篠之在東北無疑

落馬澗在南五里東北流入城濠宋元凶劭敗人馬

噴水故名南史曰南淵元又呼躍馬淵今淵子就
灣諸橋所跨是也
麾扇渡據史在朱雀航南則今秦淮上志云即毛公
渡者疑非
玄武湖在太平門外晉大興間創北湖築長堤以壅
北山之水宋元嘉中有黑龍見改今名一名蔣陵
湖一名秣陵湖一名後湖歷代相傳爲勝地趙宋
時廢爲田元大德中僅一池
國朝復爲湖以貯天下圖籍中有舊洲新洲龍引洲

蓮蕚洲郭璞墓天語亭 顏延年觀北湖田詩 周御
窮轍跡夏載歷山川蓄軫豈明懋善遊皆聖仙帝
睴膺順動清蹕廵廣壓樓觀眺豊穎金駕映松山
飛奔互流綴緹彀代廻環神行埒浮景爭光溢中
天開冬眷徂物残悴迎化先陟陸團精氣陰谷曳
寒烟攢素既森藹積翠亦葱芊息饗報嘉歲通急
戒無年温渥浹輿隷和惠屬後筵觀風久有作陳
詩愧未妍疲弱謝凌遽取累非纆牽 張正見詩 上
苑肴行樂滄池聊薄遊汎荷分蘭櫂沉槎觸桂舟

殘虹初度雨缺岸上新流欲知有高趣長揚送麥

秋

燕雀湖一名前湖今爲大內或云白蕩湖即此窮神秘苑云梁昭明太子在東宮有一琉璃盌紫玉杯乃武帝所賜既薨置梓宮後更埜開墳爲閹人携入大航有燕雀數萬擊之爲有司所縛乃獲二寶器帝聞驚惋詔賜太孫封墳之際復有燕雀數萬啣土以增其上故名湖

迎檐湖在石城後五里晉南渡時衣冠南遷客主相

迎召僑於此今廢

張陣湖在石頭城相傳蘇峻與晉軍戰處

蘇峻湖在迎檐湖北本名白石陂即李陽斬蘇峻處

穩船湖在佛寧門外洪武初開引江水瀦以泊舟

太子湖在鷄籠山北吳宣明太子所濬一名西池

夏駕湖在東南五十里即晉惠時石浮來處今廢

半陽湖在東北四十里江乘地記云東南有半湯泉

半冷半溢共同一徑

擲湖在擲山側

白米湖在東與句容下塘村接

三岡湖烏意湖西干湖俱在東

白社湖劉陽湖在東南

鎖石溪在東南四十八里源發白石巖經攝湖六十餘里達于大江

長溪在東南六十里丹陽記云湖孰前有長溪受句容赤山湖水入秦淮（謝靈運賦）潭結緑而澄清瀨揚白而載華飛急聲之瑟汩散輕文之漣羅始鏡底以如玉終積岸而成沙

烏龍潭近清涼門相傳有烏龍見故名

天淵池在華林園亦名天泉池晉孝武太元七年大旱井瀆皆竭供膳皆資天泉池明帝泰始二年天泉池白魚躍入御舟〔梁武帝詩〕薄遊朱明節泛漾天淵池舟檝互容與藻蘋相推移碧沚紅菡萏白沙青漣漪新枝拂舊石殘花落故池葉軟風易出草密路難披

覆杯池在臺城內元帝以酒廢政王導諫之帝覆杯池中以爲戒

濛汜池在臺城内（晉張載賦）麗華池之湛淡開重壤以停源激通渠於千金承瀍洛之長川挹洪流之汪濊包素瀨之寒泉既乃北通醴泉東入紫宮左面九市右帶閶風周墉建乎其表洋波廻乎其中幽瀆傍集潛流獨注仰承河漢吐納雲霧緑以釆石殖以嘉樹水禽育而萬品珍魚產而無數蒼苔汎濫脩條垂幹緑葉覆水玄蕵布岸紅蓮煒而秀出繁葩艶以煥爛遊龍躍翼而上征翔鳳因儀而下覩想白日之納光覩洪暉之皓旰於是天子乘

止輦時遨遊排金門出千秋造綠池鏡清流翳華

蓋以逍遙攬魚釣之所收纖緒挂而鱣鮪來芳餌

沉而鰋鯉浮豐夥踰於巨壑信可樂以忘憂

善泉池在臺城東

梅花水在觀音門內興善寺源自石罅中出

醴泉在神樂觀永樂初醴泉湧出

勑右庶子胡廣撰文

玉兎泉在儒學二門內劉基有銘舊志云秦檜未仕

時宿學夜見白兎入地使人掘之一丈許得泉因

名伯溫疑檜僞爲之銘曰嗚呼泉乎夫何辜爲檜所污世無吴隱之孰昭其誣嗚呼泉乎尼父大聖猶言其主瘠環與癰疽自免之傳夫何傷於爾歟檜死爲蛆泉潔自如我作銘詩衆惑斯祛愚謂正使有此檜之惡益彰覩兹泉者求以爲鑒不可乎

寶公井在大市街

百丈泉在鐵塔寺

景陽井即陳後主避隋兵處當在今靈妃巷有文曰辱井在斯可不戒乎一名臙脂井

開善塘志云溉田二十頃　銅塘溉田二十頃　王塘溉田三十頃　水門塘溉田十七頃　赤山塘溉田一百餘頃詳見絳巖湖　長塘溉田一百頃　俱東南叒湖塘在西北　溉田十頃　劉塘在北溉田十頃　義溝瀆在東　流入秦淮溉田十頃

論曰江南故多言水利比來堤壩不修每春夏之間彌望成川者皆膏沃壤也而陂塘灌輸之利日就湮塞國計民生烏得而不削哉

江寧

聚寶山在聚寶門外山産細石如瑪瑙其東爲雨花臺山麓有梅岡李白詩鍾山抱金陵霸氣昔騰發天開帝王居海色照宫闕群峯如逐鹿奔馬相馳突江水九道來雲端遙明没時遷大運去龍虎勢休歇我來屬天清登覽窮楚越

戚家山在今大報恩寺後南唐時韓熙載嘗居此

梓桐山在南十五里舊有謝氏詩樓及翻經臺今址尚存

紫巖山近梓桐山

夏侯山在南二十餘里梁夏侯亶愛其風景卜居云

韓府山南十五里舊名鳳凰山以　韓憲王葬于此故名

龎蔽山以形名去夏侯山南二里許

牛首山在南三十里舊名牛頭雙峰秀起正對晉宣陽門王導指曰此天闕也故名天闕山又名仙窟山歷代崇飾甚盛由山椒起石級數百蹬杉檜行列而上有白龜池虎跑泉南爲舍身臺臺之側懸巖突出曰兜率巖其下爲文殊洞又南有峯曰芙

蓉其嶺曰雪梅山後有昭明太子飲馬池僅丈許冬夏不涸大峯之北有石如臥鼓中虛可坐數十人呼爲石鼓云天欲雨則石鼓自鳴折而西有石窟不測深淺名曰辟支洞即梁時建寺處山名仙窟以此中有石盂形甚古唐神龍中并誌公牘俱取入長安舊有中峯庵在西風嶺半近庵有龍王泉甘洌可飲其東南爲劉宋郊壇處建炎中岳飛設伏於此以拒兀术（韋莊詩）牛頭見鶴林梯逕遶幽岑春色浮山外天河宿殿陰傳燈無白日布地

有黃金休作狂歌者回看不住心

花巖山在牛首南五里西巖有石窟相傳唐貞觀間僧法融居此有百鳥獻花之異故名山之頂曰芙蓉峯有芙蓉閣大觀亭今餘址洞口歸雲亭小星槎據山之勝處（陳沂芙蓉閣詩）飛蘿懸碧嶂迴榭入丹霄閣暝慈雲結林晴瑞氣消目隨孤鳥盡心共片岑遥佛座鳴清磬惟閒下界飄（又宿小星槎）幽棲向飛閣高坐恍虛槎牕迥含星動闌回傍月斜飄形御仙氣揮手拂天花未可投簪冕徒令羨

出家

祖堂山即花巖後以懶融故得名亦有石窟舊名幽棲山按石中空洞處凡山皆有之而緇黄者流輒指爲仙佛之跡薦紳題詠亦誇張其事若誠然者可歎也夫

岩山在牛首東北吳主皓刻石于此以紀功德後段爲三因名段石岡今石移置府學尊經閣内

上公山在段石岡南其東北爲福子山又東爲大山小山皆相連

青山在牛首山南十里舊有幽岩寺

吉山在上村五峯聯峙宋建城侯吉翰葬山中故名

觀子山在南三十里上有水注新林浦一名觀山

大青山在觀山南十五里

紫雲山與花巖接一名大山

鼓吹山在南八十里宋孝武登此奏鼓吹故名

銅山在東南七十里山產銅故名

横山在東南一百二十里接太平界四方望之皆横

丹陽記云縣有横山縣亘十餘里楚子重肯至横

山　今花巖山麓亦名橫山

陰山在大城港晉王導立廟處今廢

湖山在南三十里上有湖大旱不涸

龍口山在西南七十二里縣志云三十五里以乾道志爲非然云前麓有三城湖而湖下復六七十三里何其戾也今從乾道志

馬鞍山以形名在西南三十五里

車府山在西南四十里六朝藏車乘甲器于此

落星山在板橋市西臨大江山之下有岡即王僧覇

連營以拒侯景處其近水者曰落星洲又曰落星磯陳顯達以數千人登落星岡新亭諸軍聞之奔還李白遇蓬池隱者脫紫綺裘換酒爲歡皆在此

白都山在西南七十里白仲都嘗居此上有仲都祠

白蕩山近白都山

龍山在西南九十五里

上三山在江寧鎮西

下三山在江寧鎮東三峯拱峙大江從西來勢如建瓴而此山突出當其衝一名護國山晉王濬伐吳

舟師過三山即此磯上舊有李温叔祠今廢（鮑照詩）泉源安首流川末澄遠波晨光被水族曉氣歇林阿兩江漠平迥三山鬱駢羅南帆望越嶠北榜指齊河關扃繞天邑襟帶導京華長城非壑險峻岨似荆芽攢樓貫白日摛堞隱丹霞征夫喜觀國遊子遲見家流連入京引躑躅望鄉歌彌前歎景促逾近勸路多偕萃猶如兹弘易將謂何（謝朓晚登三山望京邑詩）灞涘望長安河陽視京縣白日麗飛甍參差皆可見餘霞散成綺澄江淨如練喧

烏覆春洲雜英滿芳甸去矣方滯淫懷哉罷歡宴佳期悵何許淚下如流霰有情知望鄉誰能鬒不變（李白詩）三山懷謝朓水澹望長安燕沒河陽縣秋江正北看盧龍霜氣冷鳷鵲月光寒耿耿憶瓊樹天涯寄一歡

慈姥山在西南一百一十里與太平接

天竺山在慈姥西唐有天竺僧居此故名東有水注

慈姥浦

土門岡在長干里即楊忠襄公死節處

金陵岡在龍灣相傳秦始皇埋金人于此書碣曰不在山前不在山後不在山南不在山北有人獲得富了一國殆以此地氣盛誘人鑿之耳其愚黠首若此而亡秦者泗上亭長余嗟夫祖龍之愚

鳳凰臺近鳳臺門

石子岡在梓桐山北又有小石子岡安德門外

大江境内諸水俱見上元

莫愁湖三山門外（吳融詩）莫愁家住石城西月墜星沉家到迷一院無人春寂寂九原何處草凄凄香

魂未散烟籠水舞袖休翻柳拂堤蘭棹一移風雨急流鶯千萬莫長啼（古今條録）莫愁在何處住在石城西艇子打兩槳催送莫愁来

三城湖龍口山下在今江寧鎮湖中舊有三小城因名

河湖在西南

石坳湖笪湖銀湖俱在南

白都湖在白都山下

婁湖在東南十五里水流入艦澳吳張昭鑿昭封婁

侯故名宋時築爲苑

梁墟湖高亭湖葛塘湖俱東南

艦澳在南十里水出婁湖入秦淮梁武開以藏船

江寧浦在西南七十五里源出太平當塗縣徐嗣徽頓兵江寧浦陳霸先遣侯安都襲破之即此

牧馬浦在西南三十九里晉永和中置南朝放牧於此

九里汀在東南五十里戚氏志云城南大路過郭公橋長堤一道凡九里直達秣陵鎮吳末安山賊施

但反丁固諸葛靚逆于九里汀今俗呼九里埂

義井二一在石子岡唐保大間置一在報恩寺側李迪鑿

雷山義井在德恩寺內闌上刻雷山義井篆畫甚古

響井在陶吳鎮西北以紗帛蒙其上擊之作鼓聲投以瓦礫如鍾磬然闌上有元祐五年四字

鳳凰泉在鐵作坊內

保寧古井舊在保寧寺即今驍騎右衛倉門內鑿數十丈大旱不涸味甘美與鳳凰泉俱爲都城第一

闌下有四鐵人里俗相傳爲怪蓋緣下空闊恐揚
傾圮故以此承之無他異也

陳沂境内諸山考云

唐志稱東南名山衡廬茅蔣金陵有二馬蔣山故
名鍾山實都邑之鎮武侯所謂鍾山龍蟠是也宋
周應合山川序云鍾山之左自攝山臨沂雉亭衡
陽以達於東又東爲北山大城雲穴武岡以達于
東南又南爲土山張山青龍石硊天印彭城鴈門
竹堂以達于南又南爲聚寳戚家梓桐紫巖夏侯

天闕以達于西南綿亘至三山而止於大江所謂龍蟠之勢也鍾山之右近之爲覆舟雞籠在宮城之後又北爲直瀆大壯觀四望以達於西北又西北爲幕府盧龍馬鞍以達於西是爲石頭城亦止於江所謂虎踞之形也然考其山之遠近地之連脉亦少有不合者蓋東南之山闕城重抱山勢連屬不可一一次序言之且古之江水自三山東入沿陰山石子岡北流以至於石頭又自石頭沿馬鞍四望盧龍幕府東折至於觀音又由臨沂攝山

直抵京口二百餘里山勢不絕浮江而觀之三山據於西南石頭據於西北秦淮中出乃天限之門戶也今江水西流沙洲曠邈馬鞍鳳臺爲民居日削而陰山則陶冶爲澤漸不可尋矣此則圖其形勢之大者焉

諸水考云

金陵在大江東南自慈姥山至下蜀渡古稱天塹巨浸此江之境也秦鑿淮吳鑿青溪運瀆楊吳鑿城濠宋鑿護龍河宋元鑿新河

國朝開御河城濠今諸水交錯亙流支脉靡辨據經考之自方山之岡壟兩涯北流西入通濟水門南經武定鎮淮飲虹三橋又西出三山水門沿石城以達於江者秦淮之故道也自太平城下由潮溝南流入

大內又西出竹橋入濠而絕又自舊內旁周繞出淮清橋合者青溪所存之一曲也自斗門橋西北經乾道太平諸橋東連內橋西連武衛橋者運瀆之故道也自北門橋東南至於大中橋截於通濟城

内旁入秦淮又自通濟城外與秦淮分流繞南經長干橋至於三山水門外與秦淮復合者楊吳之城濠也自昇平橋達於上元縣後至虹橋南接大市橋者護龍河之遺跡也自三山門外達於草鞋夾經江東橋出大城港與陰山運道合者皆新開河也東出青龍橋西出白虎橋至栢川橋入濠者

今

大内之御河也若城外落馬澗諸水不能悉載焉

論曰金陵諸水皆以江爲歸按其脉絡可考而知

也永樂時内河塡塞嘗遣夫浚治頃湮廢日甚可以舟行者惟秦淮一曲而已餘皆漸成陸每遇霖雨衢衢輙爲沮洳及今舊緒可尋疏鑿以通舟楫且引外河諸水朝宗京邑實利國利民之大者云

句容

茅山在縣東南四十五里初名句曲山又名巳山以山形類巳字也自漢永元間相傳有茅氏兄弟者學仙來止於此歷代崇信轉相附益於是山之岩谷泉石皆蒙其名顧事涉不經亡足採者兹特列

其名山三峰連峙最高者曰大茅峰（王安石詩）一峯高出衆峯巔巍隔塵沙路幾千俯視烟雲來不極仰攀蘿蔦去無前人間已換嘉平帝地上誰通句曲天陳迹是非今草莽紛紛流俗尚師傳次曰中茅峯又次曰小茅峯大峯之巔有泉曰天池大旱不涸南垂泉流作乳色曰饋飲泉其下爲柏枝壟壟之中曰華陽南洞（張商英詩）素虎班乱躝紫烟幾看滄海變桑田赤城玉笥尋真後又到華陽第八天又南爲茅洞其側曰衆真右又有曰黄龍

洞黒虎洞者在九錫牌左右有水自峯左支流縈紆達於菖蒲潭潭多生菖蒲九節可以長生一名石墨池（王建送人詩）江城柳色海門烟欲到茅山始下船知道君家當瀑布菖蒲潭在草堂前者曰九曲澗潭之上爲華盖若其北垂方池數尺客至水即勇沸名曰喜客泉峯之北相連者曰抱朴峯相傳爲葛洪煉丹處東曰飈輪峯西垂有泉二至冬一冰一温曰玉蝶泉又有華盖峯疊玉峯俱在大峯之東峯之下舊爲崇壽觀觀後有洞曰碧石

東數武曰候仙居其下爲霧豹岩曲水穴出焉大峯中峯之間長岡連石曰積金峯故山有金壇金陵之號邑名由此起也梁時陶弘景居此東有横壟石形甚瓌奇壁拆開成洞入數丈漸狹不復容人乃颼颼有風即所謂華陽西洞者由西洞而南又有玉柱洞中積石乳四旁徑容人跡壟之東南有水自石竇出曰鶴臺澗折而西又有楚王澗亦自石壁出以楚威王嘗遊憩于此故名峯之頂有靈泉有天窓洞其陰曰道祖峯東南一峯傑然秀

出與積金對峙者曰五雲峯中峯之東復有曰華陽洞僊作小石穴劣容人入有澗曰宜春有泉曰玉沙峯東北曰拱辰峪峪有百丈泉其西乃爲白雲峯水龍洞在其下自中峯至小峯長阿而西曰黑虎谷峯之北林壑幽邃春時花卉紛敷曰桃花崦顧況詩崦裏桃華逢女冠林間杏葉落仙壇老人方受上清籙夜聽步虛山月寒其西有朱砂泉泉上爲小青龍洞又有岡在峯側長緩而隱障名曰長隱岡又名伏龍岡岡皆細石東南近許長史

宅山之中復以山名者金菌山在積金東凹小山獨出如倉囷之形西有羅姑洞趙孟頫詩九疑得道女受事易遷家詩贈金條脫人逢鄂綠華高居洞華姥山在丁公山南良常山在山北昔始皇東巡登此嘆曰巡狩之樂莫過山海自今以後良爲常也群臣竝稱壽曰良爲常矣遂名山其上有良常洞山志首山嶺南行二百步有始皇埋藏白璧一雙上有小盤石在嶺上以覆埳處李斯刻書璧上曰始皇聖德平草山河巡狩蒼州勒銘素璧

方隅山在良常東南三峯隅峙有燕口洞方隅洞龍尾山自大峯一嶺直至山東金壇界宛如卧龍四平山在大峯之西南下有洞穴曰方臺海江山慶雲洞之上其東為碧玉岩石下曰丹谷泉鬱岡山在小峯東北林木隱蔽望之鬱然亦名大横山麻姑山在鬱岡西青山在鬱岡東三角山在華林峯北有皇甫峪海泉洞其北為楂子谷三公山在燕口洞東雲堆山在皇甫峪南仙韮山在大峯西山多大韮俗呼　石龍山鰲足山在仙韮西大靈山

小靈山並在鰲足西雷平山在伏龍之東周時有雷氏豢龍於此下有雷平池東南一里許有泉曰柳谷泉亦名柳汧顧況詩崦合桃花水窓分柳谷烟權德輿詩下馬荒郊日欲曛潺潺石溜靜中聞鳥啼花落無人處寂寞山窓掩白雲伏龍山在柳汧之間與中峰近即所謂伏龍之地在柳谷之西金壇之右可以高棲者也丁公山積金峯西麓丁山在拱辰峪東虎爪山在丁山西秦望山在良常山北始皇亦駐此顧望丘阜御珠山在雷平南獨公

山在小峯北小竹山在小峯東吳山在大峯南陶隱居云自大茅峯南仙誰山竹山吳山方山從此疊嶂達於吳興天目諸山矣（李德裕詩）何地最脩然華陽第八天松風清有露蘿口靜無烟乍警溪潭鶴時嘶王樹蟬欲馳千里思唯戀鳳門泉（杜荀鶴詩）步步入山門仙家鳥徑分漁樵不到處麋鹿自成羣石面迸出水松頭穿破雲道人星月下相次禮茅君

絳巖山西南三十里一名赭山地志云漢丹陽縣北

有赭山其山冊赤故以名郡唐天寶中改絳巖今
仍呼赤山也山頗險峻五季之亂鄉人避兵於此
上有龍穴

華山北六十里梁武帝至此山問華山何如蔣山高
薛對曰華山高九里似與蔣山等泉水倍多秦淮
源出此

竹里山北六十里道塗傾側號曰翻車峴鮑照詩高
山絶雲霓深谷斷無光晝夜淪霧雨冬夏結寒霜
淖坂既馬嶺磧路又羊腸畏塗疑旅人忌轍覆行

箱非岑望原陸四眺極川梁游子思故居離客遲新鄉新知有客慰追故游子傷

劉牢之斬王恭帳下督顏延宋武破吳甫之于竹里即此

花碌山北五十里舊產礬

五棊山北五十里下有石穴初入甚狹丈許乃豁然中設石塌

戍山北六十里相傳沈慶之戍守於此

靑龍山南七十里一名洞山上有石窟真誥云與華陽相通其中堂臺簾竈及仙人掌之屬俱以石狀

得名近時有入者見大青蛇因名青龍洞傍有峴曰牧門亦界溧陽

虎耳山東三十里舊名苦耳山有井聞人聲則沸名沸井丹陽記云龍沸潭

撥雲山東四十里

秦山南三里麓有明月灣通秦淮舊傳謝安嘗垂釣於此

甲山西南五十里峯巒競秀甲於左右諸山

射烏山西北五十里湯水二泉其源皆出於此

白和山北七十里相傳仙人白和居此俗誤呼曰白婆山

尾屋山南七十里丫頭山東南七十五里俱見溧陽

崙山東北五十里

駒驪山東北六十里吳諸葛恪獵見一小兒衆莫識恪引白澤圖曰南山間精如小兒名曰傒囊

土石山龍山東三十里驤首山四十里塗山四十五里

彭山南七十里周山三十五里仇山四十里石麓山白

馬山棠棃山白沙山石角山浮山俱七十里

姜石山西北二十五里嚴山五十里

亭山北三十里胄山三十五里

絳岩湖絳岩山下周百二十里下通秦淮界上元句容二縣溉田甚衆創於吳赤烏中歷代修築南史沈瑀傳明帝復使築赤山塘所費減於官所量數十萬唐麟德中令楊延嘉因梁故堤置後廢大曆十三年令王聽復置周百里立二斗門以節旱澇宋時湖禁尤嚴詳見湖條文多不載其畔有墩隱

士周如心結屋於上因名如心墩

江城湖西北六十里

周家湖南五十里今爲周干圩

蒲里溪南六十里源出浮山入絳巖湖

斗溪南七十里出尾屋山入蒲里溪

龍淵溪南四十里出仇山入絳巖湖

髙平后白二溪俱南出浮山入絳巖湖

官塘河東五十里東北流入丹徒

新河四十里源出駒驪山流入長塘湖注太湖

破岡瀆東南二十里吳鑿上下十四埭上七埭入延陵界下七埭入江寧界晉宋齊如故梁堙之更開上容瀆陳高祖復修破岡瀆至隋乃廢

龍潭北八十里臨大江今設巡檢司

清水潭龍潭鎮之西

下蜀港北六十里俗呼官港

陶隱居井在茅山華陽宫前歲久湮沒政和初道士莊慎修索而得之井闌上環刻大字云先生丹陽人使齊奉朝請壬申歲來山自號隱居

甪里井譚家橋澗底相傳甪里先生鍊丹於此井方圓凡十餘井嘗有西域胡人飲水因取其土囊之而去莫知所以

義井坊郭東南隅唐李衛公屯兵於此所鑿

郭干塘茅山鄉其村亦名郭干

上鈴塘在南志云廣四十一畝溉田一百一十三畝

下鈴塘在南廣六十畝溉田二百二畝　郭西塘在西廣百八十畝溉田五百七畝　南黃塘東北廣一百畝溉田二百畝　西黃塘東北廣十五畝溉田一百

五十畝西大陂塘上容鄉溉田五百餘畝

溧陽

金雞山東十里

雲泉山東南三十五里上有泉出雲氣

鐵山東南五十里嘗産鐵今坑冶遺跡尚存唐書地理志云溧陽縣有鐵即其地

新婦山東南五十里

銅官山東南五十八里山産銅土中瑩然如麩狀唐書地理志云溧陽縣有銅即此

三鶴山東南六十里相傳潘氏三人俱學仙於此化鶴而去今一名仙山

燕山南八里形如飛燕故名

錫華山南四十五里峯巒秀出爲登臨勝處一名小華山

石屋山南六十里建康志云吳王使歐冶子鑄劒于此今山西有鑄劒坑

鷄籠山以形名西南十二里

大石山西南十四里山麓有龍祠祠傍有龍池雩輒

應

盤白山西南四十里第二峯石上有仙人跡下有太虛觀碑載盤白眞人事 眞人姓李名盤桓隴西成紀人避魏武之役隱居溧陽築室高邃峯之西鬚髮皤然故名盤白 俗呼曰觀山又曰高邃山

三王山西南五十里相傳楚威王與眉間尺幷一冢同葬此 眉間尺干將之子

伍牙山西南六十里輿地廣記云子胥伐楚還吳經此一名獲牙山殆伍牙之誤建康志所載不經元

阿剌罕攻破銀樹東壩至護牙山敗宋兵即此

鐵洺山西南七十里輿地志云前代鑄錢處

青山西南七十里山巔有雲岫庵有溪北流入潮水

塴山西南七十五里

葵山西六里上有龍潭東邉石壁勢如削成宋丞相趙葵嘗題其上

巖山西十里即晉咸和四年將軍李閎等追張健韓晃處

姥山與巖山接

平陵山西三十五里春秋時吳移瀨渚于山下晉王允之執蘇逸於此

黄山西四十里志云黄鶴仙人於此冲舉今山麓有黄鶴池

芝山西八十里山產芝草相傳梅福嘗游此

分界山西北八十里與溧水縣分界此山之頂

土山北三十五里一名獨秀山

雷公山三十七里俗傳雷公鑄劒於此

甩屋山以形名北八十里（唐李白詩）朝登北湖亭遥

望花屋山天清白露下始覺秋風還即此

丫髻山北八十里兩峯相並如髻俗呼丫頭山

𡶒山東北二十五里洮湖之上風土記云昔有𡶒姥得道於此廣韻云𡶒烏后切山名在溧陽寰宇記云常潤等州分界此山之巔宋有巡司(宋晦翁送都巡舍人詩)古寨依山麓頹垣近水湄有兵耕緑野無盜弄潢池歲稔村村樂官閑事事宜我來無所覩聊遺一聯詩(元倪遠詩)𡶒姥峯高翠倚天洮湖春水緑無邊不知楊柳蒹葭外何處泊君書畫

船

大翁山小翁山洮湖之東

張没山東北三十五里

落霞山東北四十里有聖塔院

屏風山庭子山辰山城子山南十里神山泉山二十

里𡾰山二十五里金山盧里山結都山懸鼓山銀

方山五十里松山七十里

石門山西南十五里茅尖山十九里朝山呂長山二

十里桂林山二十三里宋汪藻記云南則羣巘晴

嵐與人相應接者桂林諸山也

龍潭山荊山四十里虎山五十里獨山六十里

秀山西七里姥山𢮦龍山十一里漁父山十五里烏山二十里谷山四十里

花山西北四十里翼山七十里曹山八十里

横山北四十五里小山六十里黄金山七十里

落馬嶺南六十里伍子胥於此下馬試劒故名

金牛嶺南七十里茶曹嶺西南十七里胡冶嶺十九里頭陀嶺二十里高官嶺六十里

謝公渰北城下即謝公洗硯池宋盧多遜詩園柳鳴禽春色深江山可待謝公吟硯池香墨今餘幾欲與君家寫四箴

謝婆渰南城下即宣城太守謝朓故宅

長蕩湖北二十里舊名洮湖其水東連震澤酈道元水經以此爲五湖之一虞翻亦曰太湖有五湖滆湖洮湖射湖貴湖及太湖爲五湖中有山望之若浮名浮山亦名大坏山周處風土記云洮湖中有大坏山地理志云溧陽有湖山陶隱居云石孤聳

以獨絕岓垂天而似浮又有小坏山祥符圖經云湖周廻一百二十里接金壇宜興界晉咸和四年蘇逸以萬餘人自延陵湖將入吳興又王恭兵潰走至長蕩湖即此（張籍詩）一斛水中半斛魚言水中多魚也

溧水一名瀨水西北四十里前漢地理志云溧水出南湖水北曰陽今宣城南湖正在固城湖北故曰溧陽也

接金瀨西北四十里伍子胥避難溧陽道中有女子

繫縣瀨上子胥乞飧曰掩夫人壺漿女子投瀨死後子胥欲報德不知其家投金瀨水而去又謂之金淵

黃山湖西三十七里黃山下周五十里

三塔湖西七十里周四十里一名梁成湖西南與昇平湖接俗云三塔済

昇平湖西七十里水自五堰東流入湖又有溪水南自建平梅渚來會

瀨陽済西北四十里

朱湖東南八里酈道元水經注云朱湖在溧陽

千里湖東十五里陸機云千里蓴羹末下鹽豉沈文

季云千里蓴羹豈關魯衛

百丈溝南三里一名百步溝源入燕山東流入白雲

溪舊有壩三十四儲水以灌高田歲久淤塞弘治

初知縣楊榮開濬餘八百丈中存九壩民頼其利

黄墟蕩南十里周五里東北流入白雲溪

繰車涇南十里上連黄墟蕩下屬白雲溪歲久淤塞

成化間知縣熊達疏濬

高友溪南二十里源出廣德下經黄墟蕩合白雲溪

與善溪南三十里源出廣德東北入高友溪

香苗塘西南六里宋塘二十里廣三十五畝　丁家塘

西六十里廣一百五十畝

葛渚洴西十五里周四十五里川迤新昌洴今成圩

僅存一派可以通舟新昌洴西一十里

舊縣江西北四十五里水自分界入上興埠東流至

南渡洴會

涇瀆北三十里

沙漲浒北十里宋謝朓詩緩步遵汀渚披襟帶蕙風芙蕖舞輕帶包筍出芳叢浮雲自西北江海思無窮鳥去能傳響見我綠琴中

五堰西八十里堰即廣通鎮春秋時吳王闔閭伐楚用伍員計開河以運糧今尚名胥溪河及傍有伍牙山云左氏襄三年楚伐吳克鳩茲今蕪湖至於衡山今在烏程哀十五年楚子西子期伐吳至桐汭今建平蓋由此道自是河流相通東南連兩浙西入大江後不知何時漸湮景福三年楊行密據

宣州孫儒圍之五月不解密將臺濛作魯陽五堰拖輕舸饋糧故軍得不困卒破儒魯陽者銀林分水等五堰壩左右是也壩西北有吴漕水言吴王行密所漕也至宋時不廢故高淳水易泄民多墾湖爲田者而蘇常湖三州承此下流水患特甚宜興人進士單鍔採錢公輔議著吴中水利書以爲築五堰使宣歙金陵九陽江之水不入荆溪太湖則蘇常水勢十可殺其七八元祐中蘇軾稱其有水學并其書薦于朝時未及行阿剌罕敗宋兵實

出此道久之河流亦塞至　國朝定鼎金陵以蘇浙糧運自東壩入可避江險洪武二十五年復浚胥溪河建石閘啓閉命曰廣通鎮又於湖中開河一道鑿溧水臙脂岡引湖水會秦淮河入於江于是蘇浙經東壩直達金陵遷都北京運道廢希入震澤餘見高淳固城湖下

溧水

中山東十里孤聳不與群山接一名濁山輿地志云溧水縣濁山有濁水流演不息元和郡國志云山

出兔豪爲筆精妙金陵志中山下既引輿地志爲據而後又載濁山且云濁水出馬其錯謬類此

東廬山以形名東二十里有水源三一入秦淮一入馬沉港一自吳漕入丹陽湖相傳嚴子陵結廬于此

官山東二十五里山麓有大塘築堰以資灌溉一名官塘山

分界山東五十里見溧陽

馬鞍山東南十二里兩峯並出以形似得名舊呼爲

溧陽山

石城山東南二十五里

四峯山東南四十里泓水湛然曰龍池泉曰龍泉東復有水流注平陸

仙杏山東南四十三里上有杏林丹井及仙壇三所一名仙壇山

芝山東南七十里有李子洞燕洞相去三百餘步田顒之亂邑人嘗避兵於此洞中又産石燕遇雨即飛晴則還落爲石　溧陽縣西亦有芝山不應兩芝

山同一處所然所載事各殊姑兩存之

荆塘山南十里

䑽船山南十二里山陰有青絲洞泉水澄清不涸南有張沈二士書堂遺址不知何時人一名感泉山

祉城山南十二里隋末杜伏威屯兵於此

無愁山南十八里上有韓熙載讀書堂

澳洞山西南二十五里上有潭禱雨多應

石羊山西南三十七里舊志云金華山即黄初平起石羊處有牧羊仙洞

銅山西南四十五里山產銅昔人嘗採之于此鑄冶

李墅山東三十里浮山三十七里與茅山接烏龍山

二十五里落步山三十五里

蘆塘山東南二十三里清洪山二十五里馬占山三

十五里賴山五十里東破山五十五里縣志又有

霥嶽山方山荆山雲鶴山大山俱在六七十里外

據縣疆域東南至溧陽分界山五十里則諸山不

得書又高淳志亦有荆山大山俱在疆域外似與

縣分隸然志云在東南何也

土山南五十里紫雲山六十里東壘山六十五里玉泉山一百一十里
丁公山西十二里琛山十五里稟丘山三十里左山四十里
岐山西北十五里靈龜山二十里梅山上義山四十里
愛景山北二十五里烏山與愛景接鷄籠山三十里
麻山俱三十里
曹家岡花塘岡石子岡在東栗樹岡東南油鎡岡南

亭岡八里岡孔家岡俱南起龍岡臙脂岡即國
朝鑾河處俱西樓子岡薛家岡梁山岡三十里岡
薄落岡俱東北塔平岡西北

石臼湖西南四十里丹陽湖七十里舊有二派入龍
潭梅梁港經湯家埠通濁水此道昔湮塞今開通
臙脂河餘詳高淳

砂湖南六十里今開堰周迴五十畝

吳王漕水源出東廬山南流經白馬橋沉港下入丹
陽湖

龍潭西南二十里南通石臼湖北連臙脂河歲旱雩

有應

石龍潭南九里發源清洪山西北與秦淮合

蕭塘港南二十里還步港東南三十五里縣志云二水俱白方山發源西流入石臼湖據金陵志方山岡十二丈周九里耳且在六十五里之外似未爲確

馬沉港東南三十七里自分界山發源西流入石臼湖

花溪西南四十里
丁公澗南三十五里自丁公山流入臙脂河
冷水澗東南二十五里自荆塘山西流九曲入石臼
湖
石湖澗西南三十里自琛山發源入石臼湖
臙脂河西十里
國初定鼎金陵欲通蘇浙糧運乃 命崇山侯李新
鑿臙脂岡引石臼湖水會秦淮以入于江自永樂
時遷都運道廢

秦淮河見上元

稟丘泉在稟丘山

官塘上原鄉三十六畝 草塘仙壇鄉三十畝 土塘上原鄉八十畝 兩重塘白鹿鄉二十五畝

上方井西二十里上方寺井上有刻字云唐貞元記相傳即孫鍾種瓜井

江浦

龍洞山西二十五里西接天井東連西華馬鞍定山距任豐白馬孝義三鄉境上有泉洞故名

天井山西三十里上有石罅深不可測

西華山西一十五里

馬鞍山西四十里山後有觀音洞

定山東北二十五里即六合縣之六合山屬縣者曰獅子峰其西南麓有卓錫泉後有湯溝泉餘具六合志舊志云其地有泉噴出若散珠故名東流一里合卓錫泉流入江

孟澤山西六十里

北大山紅石山俱西

青山西七十里下有青山寺

四潰山西南項羽敗走東城所從惟二十八騎依四潰山爲圓陣一名四馬山或曰漢平四面圍羽羽兵潰斬將故名

陰陵山西南四十五里即項羽迷失道處

頹落山西南六十里

東龍山南四十五里上有祈澤壇

西龍山南四十五里與東龍山對

白子山南四十八里有異穴官鑿斷溝

黄悅嶺西北一十五里 國初新鑿通江淮東葛路
爲兩京通衢

駱駝嶺東北二十五里南通浦子口關西北通東葛
路

龍洞嶺西三十里東南通高望鎮北通香泉鎮

白篠嶺東華山北一十五里東通新路西通香泉鎮

石駝峯以形名傍有石岩竪如人狀俗呼石婆峯

浦子口河東二十里源出定山卓錫珍珠二泉由浦
子口西入江

沙河東三十里宋天禧間開引江水支流下至瓜埠入江舊志云范仲淹領漕時以大江風濤之險乃開此河　國初新開路建沙河橋

新河東南新路西三里洪武間新開通江停泊舟

穴子河南四十里白馬鄉界南自大江通芝麻河石蹟橋河水合流至西江口入江

芝麻河南六十里由大江入遵教諸鄉出西江口入江

後河西北三十五里源出廬州舊梁縣至境內茅塘

橋東出瓜埠入江

八字溝渡東八里濵江

新江口渡東南三里江淮關口濵江與中新河對

西江口渡西南一十五里濵江

新河口渡西南一百里和州界濵江

浦子口渡浦子口城南

韋游溝渡和州舊志云在烏江東南二里

卓錫泉東北二十里定山寺山門之右舊志云宋劉

昌詩詠六峯有四水卓錫一水也梁時僧達磨晏

坐石岩思西域水以錫杖卓石遂得泉長流至定

山隴下合珍珠泉由浦子口河入江

湯溝泉北三十里北流入三汊河通於江

湯泉西南三十五里水温不寒有香氣昭明太子嘗

浴此呼爲太子泉至我

聖祖賜名香泉秦觀詩温井霜寒碧甃澄飛塵不動

玉奩清老翁偃去嬴驂共太子東歸廢沼平攜石

聊爲䟦陀觀决渠還落堰溪聲浣腸灌頂雖殊事

一洗勞生病腦輕

東龍塘西龍塘俱遵教鄉

孤塘在狄家坪

六合

六合山在南六十里北峯六曰寒山獅子石人雙雞芙蓉高妙屼𡷊拱合邑名由此起也張志和云真州六峯元時縣盖屬真又有觀音巖達磨巖宴坐石虎跑泉白鼉泉珍珠泉晉置秦郡南朝王元初僭號齊伯生獲璽宋雀阜擊敗金人皆於此山

瓜步山在東南二十五里表裏江河據形勢之勝宋

鮑照稱其回迥爲高據絶作雄魏主燾侵宋鑿井與蟠道址尚存李道傳授拓跋燾像即此唐獨孤及詩蕪城西眺極蒼流漠漠春煙暗樹樓瓜步寒潮催建業蒜山晴日照楊州

靈巖山在東十五里南有偃月巖其下爲鳳凰臺又有鹿跑泉白龍池山之麓有澗產五色石名瑪瑙澗

冶山在東北五十里相傳吳王濞鑄錢之所上有天井白龍池鐵牛洞通脊泉嘉定志云山昔有僧思

蚪水一頭陀亟手觸山泉湧出其味如蜀

赤岸山在瓜步山東五里土色赤一名紅山南兗州記赤岸山南臨江中濤水自海入江衝激六七百里至此岸其勢始衰寰宇記赤岸若朝霞郭璞江賦鼓洪濤于赤岸指此王維送封大守詩忽解羊頭削聊馳熊首轓揚舲發夏口按節向吳門帆映丹陽郭楓攢赤岸村百城多侯吏露冕一何尊

方山在東三十里宇文周置方州以此陳沈炯還至方山自傷詩秦軍坑趙卒遂有一人生雖還還舊鄉

里危心曾未平洪源比桐栢方山似荆虎猶嶷出

虜騎向畏值胡兵空村餘拱木廢邑有頽城舊識

既已盡新知皆異名百年三萬日處處此傷情

横山在東三十里拓跋魏置横山縣宋建炎中劉綱

嘗保聚咸淳中施忠等立功俱在此

馬頭山在東北三十五里上有龍穴莫測深淺歲旱

雩有應

盤城山在南五十里有龍洞高原臨馬昌河

桃葉山在南六十里隋晉王廣伐陳駐兵於此開皇

初置頓按桃葉晉王當是一山初名桃葉以廣屯兵故呼晉王耳通鑑一統志可據縣志云在西北疑是後人誤稱況晉王臨境伐陳豈百里外駐軍耶

宣化山在桃葉山西自盤城來下爲宣化鎮

坍山在宣化北

馬鞍山以形名在北二十五里宋岳飛再遇敗金人于此

牛頭山在東北五十里與冶山接峯巒聳秀高入雲

表有泉西注爲冶浦

黄董山在東北三十五里又以形名屏山

符融山在東北三十五里嘉定志云秦符融嘗城此因名俗呼芙蓉者非但符融至淝水而敗安得築城於此

塔山去符融五里舊名疊層山唐貞觀中改今名

龍山以形名去西北五十里山之西一山連亘入來安曰西龍山

滁口山在南十八里臨滁河對城子山嘉定志稱爲

案山

行徑山在西南三十里其北爲牛齒坂

獨山在西北四十里上有湖

三山在西北六十五里界天長来安二邑竹鎮港之水出焉

唐公山在北五十里與冶山並

西陽山在東北二十五里吴沛山栈子山三十里蛾眉山四十里桂子山四十五里尖山五十里

丁家山在南三十里坍山狹山五十五里

地龍山練山在西北三十里尉斗山盤石山巴山佛子山烏石山麝香山四十五里趙家山五十里烽火山六十里

城子山保得山在西南二十五里

摩尼峰在南二十里蓮花峰三十里

㠋岡在東北三十里南接儀真東連江都綿亘數十里一名崑崙岡 鮑照賦云軸以崑岡指此相傳地脉通蜀故名其說本朱紫陽又南唐後主好蜀紙既得匄工使行境内𠔃六合之水類蜀則地脉之

謊容有之也

李子鐵岡在北二里白塔岡松林岡俱三十里

逵子凹在瓜步山東金人嘗伏兵於此故名

天井凹在北三十里

秦山墩在東二里鐵牛墩東北三十五里

青絲墩在北三里

滁河在西南發源故梁縣經滁和界會五十四流入

縣境分爲三亦名三汊河經東南三十餘里至瓜

步入江唐書淮南道大川首滁吴涂塘晋涂中宋

時金元屢犯滁口即此

冶浦河在東二里北通天長南入滁河

皂河在西北三十里濁河四十餘里皆自北合滁河

西河在長蘆鎮范文正領東南漕計始開又名沙河

馬昌河在南五十里南與滁河合

河子㴸在東南二十五里古稱急流江今名急水溝

淳熙初開新河即此

岳子河在河子溝北兀朮駐瓜步岳飛遣子雲鏖此

以襲虜俗呼鴨子河

東溝水近長蘆鹽場間淮南運判沈調開以艤舟

芳草澗在東北三里通沈家湖横塘入冶浦河唐韋應物詩青青滿地鋪顔色曲曲一溪流水聲總謂遊人逞風景亂雲初捲碧天空

泠泛澗近張家山

惜水灣在東南十五里縈迴曲折即今大小長灣宋隆興間鑿其灣曰過盤洋

陳里港在南二十五里東接瓜步西入揚子江元設巡檢司于此

黄湖港在西北十五里程家港西南二十里梁家港

在西南三十里俱入滁河

石脚灘在滁河東水中多石故名宋紹興間嘗造浮橋于此以達瓦梁

瓜步渡在瓜步山前唐淮南節度張延賞始以渡屬揚州

周庾信詩 校尉始辭國樓船欲渡河輶軒臨磧岸旌節映江沱觀濤想帷蓋爭長憶干戈雖同燕市泣猶聽趙津歌

唐駱賓王詩 捧檄辭幽徑鳴榔下貴洲驚濤疑躍馬積氣似連牛月迥黃沙淨風急夜江秋不學浮雲影他鄉空滯流

宣化渡 在宣化山陽晉五王南奔渡處

回軍渡在東南二十里嘉定志宋太祖以舟師伐南唐於瓜步振旅凱還因名

新渡口在西南三十五里永樂四年知縣王翺通滁

六道今名姜家渡

菖蒲蕩在滁河側

龍池在南五里水清可鑑有兩島淵邃莫測相傳神龍居之舟行風濤輒作宋政和中雩有應今池畔有慈惠龍王廟

尭梁堰西南五十里北齊嘗置郡金元屯兵于此

劉城堰在東五里南接崇岡中築城

茆城堰在高岡上與劉城堰相對

草塘在西五里中有墩溉田甚廣

劉塘在東三十里

賈莊塘在東南二十里塔山塘在東北三十里

冶山井在大聖寺有章武二年字

高淳

鎮山縣原爲高淳鎮山因以名山自石臼湖南迤邐

而來發脉於此今縣治移其下

暨山東一里先爲朝元觀後徙儒學於下因名

馬鞍山東二十里鳳棲山並石臼湖相傳鳳凰嘗棲其上二十五里横山三十里大游山三十七里遊

子山四十里遮軍山五十里山北有水入固城湖

城門山五十里大山六十里有水入固城湖經五

堰東入溧陽三塔港荆山六十里縣界至溧水縣四十里自遊子山下疑當分隸詳具溧水志中

秀山東南三十里舊傳有仙過以鞭畫路形如之字

今見存

禪林山東南二十五里秀山三十里花山六十里

東龍岡竹墩岡在東桃花岡在東南上圭墩九十九

花犇岡西北

丹陽湖西南二十里中流與當塗縣分界東連石臼

固城二湖其源有三出黟縣者爲舒泉出廣德白

石山者爲桐水出溧水東廬山者爲吳漕水三湖

匯合其流分二一西出蕪湖一北出當塗姑孰俱

出江左傳哀公十九年楚子西子期伐吳及桐汭

杜預註云宣城廣德[illegible]南有桐水出白石山西入丹陽湖指此唐李白嘗遊此湖愛其風景每張帆載酒縱意往來有詩湖與元氣連風波浩難止天外賈客歸雲間片帆起龜遊蓮葉上鳥入蘆花裏少婦棹輕舟歌聲逐流水

石臼湖西二十里與當塗溧水分界湖內有軍山塔子馬頭雀壘四山

固城湖西南五里北通石臼丹陽二湖與當塗宣城分界湖東有廣通鎮壩壩外有河築五堰設閘啓

閘導湖水由常州宜興入太湖後因蘇常水患乃以石窒五堰復鉄以錮石洪武間復疏通之以便蘇常松浙糧運永樂元年蘇常被水乃築壩設官管理湖水遂不入太湖

論曰廣通鎮壩者所以障宣歙金陵姑孰廣德及大江之水使不入震澤也前代若蘇軾單鍔及國朝吳相五周文襄皆議築五堰以成蘇常陸海之饒其爲壩下諸郡者善矣第隄防一築水勢日壅淳之[illegible]將已爲湖者[illegible][illegible]紀極也嘉靖戊戌覈田

致虛總米八千夫田日淪沒而賦額不減淳民之困可不思所以蘇之哉

横溪在東牛兒港於家港東溪俱南蘆溪煉溪俱西北官溪河龍潭灣月潭灣俱西王毋澗在東

論曰金陵山水秦時望氣者已指數之矣歷千餘年而

聖祖龍興神鼎奠焉始皇之所不能泄六朝之所不能有至是始際其運豈天固衎之以俟夫帝者之興歟不然何其盛也

列聖相承教化涵育一時名賢輩出熈鴻名而畨茂
實先後彬彬焉詩云思皇多士生此王國王國克
生維周之禎信矣哉

應天府志卷十五終

應天府志卷十六

建置志

維茲京邑四方之極設險以城蒞事以署上尊
王命下裨民生
昭代宏規與天無斁作建置志
應天城越始築于長干楚置邑石頭吳晉宋齊梁陳
爲都置宫城淮水北丹陽郡城在淮水南隋於石
頭置蔣州城唐上元縣昇州皆仍其城楊吳始跨
秦淮大建城郭宋元因之

本頁原殘闕，現據南京圖書館藏《稀見中國地方志彙刊》（萬曆二十年刻本影印本）補字。

國初開設今制府不得請惟馴象等四門景泰後屬
府修葺

府治洪武初自集慶路徙古大軍庫西錦繡坊地在
内橋西南其制大門之内爲儀門儀門内爲蒞事
堂東爲廣積庫左右設經歷司照磨所翼以吏胥
諸房科後爲忠愛堂堂西爲册庫爲待考官房後
爲俸給倉官廨列於堂北西爲廳幕廨東西並達
儀門府尹宅有雅亭祭酒張文德記云凡稱名園
者必泉石之瑰奇也亭榭之佳麗也花木之珍異

本頁原殘闕，現據南京圖書館藏《稀見中國地方志彙刊》（萬曆二十年刻本影印本）補字。

也又恒在都會焉是故遊者衆而園日有名應天京兆尹公署之後有亭一區面方池環蔬畦而已其諸泉石花木無一焉况瓌奇偉麗乎松溪程子讌于斯顧而吾曰君臣亭之靡麗者衆矣若斯亭者不亦雅乎大雅之時義大矣夫雅也者正也常也惟正斯可常也道本正而已矣常而已矣政者正也政有小大故詩有小雅焉有大雅焉正斯可常故孔子以詩書執禮爲雅言是故由夫正也在詩爲雅歌焉在音爲雅樂焉在行爲雅德焉在名物

有爾雅焉在詞章爲文雅焉先王之道斯爲美不可廢也其反是不可繼也故曰正斯可常也斯亭也其正而可常乎哉彼其瑰奇者侈麗而珍異者非乎其中或有靡心焉固已詭於正矣矧物不可常感也而墮圮傾剥必將繼之異時歷踢狐兎之交灌莽荊棘之騷孰與斯亭之洎然而常存乎是故大雅亡而天下無善俗君子有餘慨矣抑或猶有相也大菽粟布帛民之雅也節用愛人政之雅也政先於雅斯民安於雅矣民安於雅斯吾可以

止於雅矣此敬事後食之義也此先憂後樂之心也而居之無倦而綏之思成而惇大以用晦必皆於斯乎有契焉則斯亭也豈直燕遊之地乎可以養性情焉可以比物我焉天下皆斯亭而大雅興矣

司獄司在府治前　都稅司大中橋西南　常平倉斗門橋南　江東宣課司江東門外　聚寶門宣課司聚寶橋西南　龍江宣課司龍江關內　朝陽門分司上方橋西　江東巡檢司新江關外

秣陵鎮巡檢司上元東南四十里通溧水高淳

江淮巡檢司江浦縣江淮關　龍江關在龍江宣課

司旁　石灰關石灰山北　江東馬驛新江關內

出竹新河渡江達江浦　龍江水馬驛金川門外

十五里大江迨通舟楫南北要津也　批驗茶引

所都稅司東　龍江裏外河泊所儀鳳門外　陰

陽學治西　醫學陰陽學南

總督糧儲都察院會同館內凡奉

勑督儲都察院都御史或南京户部侍郎皆居之

巡撫都察院在會同館内今移鎮句容

提學察院舊在會同館後置明道書院左今以巡撫

都察院爲之

巡按察院在復成橋北

上元

縣治在府治東北昇平橋西唐始置於永壽宫光啓

中徙鳳臺山下宋徙白下橋建炎間始遷今所

國朝仍舊正廳左爲典史廳東西列房科後爲牧愛

堂北折而西爲官廨東西達於儀門儀門之外爲

大門旌善申明二亭在門左右今廢各縣規制畧同正統中姜德政修國子祭酒陳敬宗爲之記
淳化鎮巡檢司在縣東四十五里
公館在淳化鎮
預備倉在馴象門賽工橋北　水次倉觀音門近大江　養濟院舊在通江橋柳林中洪武間建後毀爲民居所侵今㷀獨時給衣糧而無捿止所
急遞鋪在縣前東達句容曰城東曰磨石曰麒麟曰洛家曰張橋東南曰高橋曰淳化鎮曰索墅曰

上橋西南曰府前總鋪曰三山濱大江曰江東

長安街在

皇城西長安門外即舊白下橋東　大通街在大中橋東南接通濟門北通竹橋橫亘長安四面立綽楔曰四牌樓　里仁街在大中橋西宋程明道張南軒書院故基　存義街在里仁街西宋上元縣學故基　時雍街在存義街西即縣舊治處　和寧街在時雍街西　中正街在和寧街西　廣藝街在縣西舊名細柳坊一名武勝坊縣志以細柳

坊爲非是　務公街在善政坊西舊名清溪坊　致
和街在務公街西舊清平橋街　大市街在縣治
西故天界寺門外舊名來道街　大中街在針工
坊北舊狀元坊　習藝東街在習藝西街東　習
藝西街在皮作坊東舊土街　洪武街在北門橋
東

國初開拓北城始闢此路因名　成賢街在國學前
太平街在太平門南俗呼御史廊　崇禮街在洪
武門西直抵大中橋　三山街大中街西南直抵

三山門與江寧界　古御街内橋南直抵聚寶門亦界江寧南唐府前街前臺省相列東西有錦繡坊今府治前街即西錦繡坊也　北新街玄津街西十三太街習藝街西北　評事街南通三山街北抵笪橋圖志名皮作坊　竒望街一名針工坊東接狀元境

裕民坊在太平門北街舊真武街　建安坊在鳥新橋北俗呼下街　善政坊在大中橋西舊名九曲　全節坊在朝天宫西舊名忠孝坊晉下壼苑

節虞 英靈坊在十廟西 大功坊東抵秦淮西

通古御街 善和坊武定橋東

淳化鎮在鳳城鄉宋淳化年置故名東達句容至

丹陽常州 石步鎮在長寧鄉古爲羅落橋鎮劉

裕斬皇甫敷陳覇先會徐度等即此 土橋鎮在丹

陽鄉與句容界 靖安鎮在金陵鄉龍灣一名靜

安岳忠武於此敗金虜宋汪藻詩檣竿歷歷表中

流睥睨宿河堤古驛頭天遠山川渾若月人將榆柳

共鶩秋 湖熟鎮在丹陽鄉

青龍橋在東長安門外洪武中建受銅井水西流入　御溝　大通橋西長安門外金水河所出一名白虎　會同橋大通橋西北近會同館　烏蠻橋在大通街　栢川橋烏蠻橋西北以上跨　御河

大中橋舊名白下一名長春南唐東門橋也

復成橋大中橋北　玄津橋復成橋北　西華門之前　通賢橋成賢街前　北門橋通賢橋西當南唐之北門宋名武勝以上俱跨古城濠　珍珠橋北門橋東跨古珍珠河　淮青橋大中橋西以接

秦淮青溪二水故名舊名東水閘　竹橋玄津橋北通　大内　清平橋内橋東以上跨青溪　鎮淮橋聚寶門内即古朱雀航吳名玄津　武定橋織錦三坊内舊名嘉瑞　通濟橋通濟門外　中和橋通濟橋東南　上方橋中和橋東南以上跨秦淮　正陽橋正陽門外跨都城濠　斗門橋三山門内即古禪靈寺橋秦淮合運瀆處　南北乾道二橋斗門橋北　北新橋乾道橋西北舊名小新宋馬光祖重建　笪橋評事街北舊名欽化宋改名太

平　景定橋笪橋東舊名閃駕宋景定間重建

崇道橋冶新橋西近全節坊　武衛橋朝天宮西

即古西州橋以上跨運瀆　內橋縣治西宋行宮前

舊名天津橋跨運瀆合青溪處　昇平橋內橋東宋

名東虹　大市橋內橋西宋名西虹以上跨護龍

河　獅子橋鼓樓北與獅子山相望故名　彭城橋

在彭城山　石步橋在長寧鄉古名羅落橋　回

龍橋定淮門內　高橋通濟門外　韓橋觀音門

外　銅橋上方橋東　滄波橋滄波門外　秦淮

橋上淮關北　金川橋金川門内　亭子橋清風鄉徐鉉記建高亭於路周跨重橋於川上即此

江寧

縣治在府治南銀作坊即宋東南佳麗樓故址晉臨江寧浦唐武德徙白下村貞觀再徙傍冶城宋移城西北有尉司在古越臺前元即司改建縣治國朝洪武初徙建於此其制大都與上元同永樂中災宣德五年陳孜重建正統七年周原慶修成化間劉傅新之正德十六年重修

大勝驛在西南三十里大城港口　江寧驛在江寧鎮古驛址達釆石至太平（宋錢起詩）花院日扶疎江雲自卷舒主人熊軾任歸客雜門車曙月稀星裊春烟紫禁餘行看石頭戍記得是南徐

存留倉在安德門外飾河　預備倉賽工橋南

養濟院（在聚寶門外）正統中府尹李敏行縣修葺後漸仆圮嘉靖四十三年重修　義阡鳳臺門外三塔庵側宋嘉定八年轉運副使真德秀置兩阡於南門外成化十年鎮撫王瑛增置今所

公館在板橋

急遞鋪南曰菜園分句容溧水二路曰河定橋曰殷巷曰玄武曰秣陵曰茅亭曰烏刹西南曰七里店曰五里牌曰鍾家埕曰馬塘山曰木龍亭曰葛家埕達當塗

草鞋街自斗門橋東向抵顏料坊　馬道街鎮淮橋東南　周處街善和坊南　沙河街秦淮南即古永安坊　保寧街在飲虹橋東南　磨盤街飲馬巷西　聚寶街聚寶門外即古長干里　西關

中街南街北街並在三山門外　馴象街南來賓橋西又名宰相街相傳王溥居此今經廠是其宅

鞍轡坊雜役三坊北　銀作坊鞍轡坊北舊金陵坊　鐵作坊弓匠坊東舊小木頭街　弓匠坊鐵作坊西　氈匠坊弓匠坊西舊水道巷　銅作坊與顏料坊接古東市　顏料坊氈匠坊東　箭匠坊鐵作坊東

江寧鎮縣西南六十里　金陵鎮南六十里本陶吳鋪宋改爲鎮元設稅務於此　秣陵鎮東南五

十里元設稅務今置巡檢司　大城港鎮西南沙洲鄉鎮通大江爲要地有大勝關及水馬驛

新橋在雜後一坊本名萬歲又改飲虹新橋乃吳時名今呼爲新襲其舊也宋史正志重建　上浮橋新橋西正德間重修　下浮橋上浮西北以上跨秦淮　聚寶橋聚寶門外古長干橋　賽工橋馴象門外　三山橋三山門外　石城橋石城門外通江橋金川門外　江東橋江東門外以上跨挾吳城濠　重驛橋長干橋東即古烏衣巷口謂朱

雀橋者非是　澗子橋長干橋西南　來賓橋澗子橋南以近來賓樓故名　善世橋來賓橋西　就灣橋在安德街善世橋西　以上跨躍馬澗水流跨城濠　板橋西南三十里吳張悌沈瑩等屯此李白詩天上何所有迢迢白玉繩低斜建章闕耿耿對金陵漢水舊如練霜江夜清澄長川瀉落月洲渚曉寒凝獨酌板橋浦古人誰可徵玄暉難再得灑酒氣塡膺　新林橋西南十五里即梁武帝敗齊師處　白板橋縣南梁武次江寧呂僧珍與王

戍進軍守台秋橋即此　牧馬橋在東南南朝牧地有浦水　烏刹橋東南界溧水一名烏鴉橋　杜橋東南三十里　善橋西南十八里　令橋烏鴉橋西北臨令水　秣陵橋縣南五十里　江寧橋縣南六十里臨江寧浦　到駕橋夾岡門外洪武初

太祖駐蹕於此因々

句容

縣城吳赤烏二年築于城周三百九十丈唐天祐八年縣令邵全邁修築有東西南北白羊上羊六門

宋淳祐六年張榘重築後廢

國朝景泰間浦洪劉義建門樓弘治三年王傳砌以石嘉靖三十三年樊垣始築磚城周七里有五門

萬曆三年移建南門於舊門之左

縣治在城北唐天祐六年令邵全邁建宋葉表上通吳淇張榘相繼修之咸淳六年王彦清爲明清堂趙子寅爲之記元田郁趙靖更建後燬洪武二年黄守正因舊基重建陳俊德浦洪周仕重修

稅課局在三思橋東洪武二十五年建弘治四年

徙建東門内　龍潭巡檢司在龍潭鎮正統十三年改建舊址之西　雲亭驛與預備倉對舊在治西後革成化二十三年奏復　龍潭水馬驛盤龍山北成化十一年自龍潭鎮徙今處　陰陽學京兆館東　醫學館西　僧會司　道會司

縣倉在治明清堂西　預備倉在西門一里正統十年建　東西南北四倉在茅山瑯琊上容移風四鄉洪武二十五年建　歲積倉龍潭鎮正統二年建萬曆三年增糧長官房　社倉共一十七處

隆慶三年立　官鹽倉在近江河口　惠民局察院
西　養濟院在西南隅　漏澤園東西南北坊郭
五十六鄉各一所
巡撫都察院在縣治東萬曆二年本院奏
准移鎮以舊察院爲之
察院在治西萬曆初建
府館在治西弘治初即句曲書院建
白埠公館白土鎮西丹陽句容中路
急遞鋪總鋪北曰潤西曰鮑亭西北曰東陽北曰

龍潭曰鳳壇曰廟林曰仁信曰坎壇東曰上蘭曰
謝培西曰土橋南曰時清曰南寧
常寧鎮在東南四十里天禧初以鎮置寨有巡司
稅務今廢　下蜀鎮北六十里仁信鄉唐劉展襲
下蜀即此東陽鎮西北六十里瑯琊鄉宋葉適創
瓜步堡屏蔽東陽下蜀郡國志改秣陵爲東陽郡
因名土橋鎮西二十里與上元界
集仙橋在縣東南一里許　赭渚橋東一里　白
鶴橋東南三里　西瀟橋南四十里劉巷村宋乾

道四年建　永安橋南七里下小港歸秦淮　降真橋茅山玉晨觀西　歸善橋南一里昔有虜將殺人至此見義姑不忍殺故名　懸纛橋西十五里周瑜常駐軍於此一名沿陸　周郎橋西二十里亦以瑜名　八字橋治北路分兩岐　官橋城隍廟街其渠合流坊市水　句曲橋近崇明寺　沈公橋南二十五里以慶之名

溧陽

縣城在燕山之北五里許南唐昇元二年築土城周

四里餘河貫城中濠深五尺濶十倍之宋建炎中
西拓青安草市加廣二里建陸門五水門二元因
爲州城
國初命將士築之仍南唐舊址而界草市青安於外
越七年又命部使郭景祥加築之周九百丈有奇
濬濠深丈餘四門外復築甕城改名曰東平西成
南安北固學士宋濂爲之記弘治九年符觀以南
城逼泮宮徙築河壖以廣之嘉靖中增修
縣治在城西北隅秦置溧水之北漢在溧水固城唐

徙西北舊縣村天復三年徙今治宋紹興知縣事施佑重建乾道喻安中爲無倦堂（程迥記）桐廬俞君安中宰溧陽扁其廳事曰無倦謁其說曰易曰天行健君子以自強不息夫天之度三百六十有五奇四分度之一日行一度故改歲而周天月行十三度畸故改朔而周天惟天也一日之行已周乎日月之度以歲月致者可謂健矣然四時以之行百物以之生千歲之日至皆可預期何則天之運不息也歐陽文忠公對客多談吏事曰文學止

於潤身政事可以及物蘇東坡亦以吏能自任且謂學於歐陽公夫後生視二公爲何如耶元爲州

爲府爲路治更不一吳元年王琳仍建州治洪武二年改縣顧思邈修之天順初燬李溥重建

陰陽學　醫學俱在治東　僧會司　道會司

存留倉在西北　水次倉東南　義積倉治南

養濟院東隅　惠民藥局養濟院左　漏澤園西

門外弘治八年符觀又立義阡於南門外

都察院在縣治北

察院都察院右

府館在縣治東

陶庄公館縣北丫髻山東乃溧陽句容通道

急遞舖總舖西曰十里曰小山西北曰中橋曰六里曰黃連曰犁岡南曰長巷曰殷家曰曇園

舉善鎮在縣南三十里元設稅務　杜渚鎮西南六十里宋初有稅額　高灰埠南二十五里　週城埠西南四十五里宋末民結寨築城以守週圍濠跡尚存一作周城　上興埠西北六十里舊有巡

檢司今革　黄蓮埠西北六十里　上沛埠西六十三里

春雨橋縣治東舊曰春市嘉定間知縣陸子遹重建時旱得雨故名　上水關橋治北弘治間符觀重建橋上舊有清暉堂後廢　下水關橋治東南舊有挹秀堂廢嘉靖間改徙學左名躍龍關　硯瀆橋治東北通謝公涂

東平橋東門外　秦公橋東南一里近秦梓第俗名下橋　南安橋南門外　西成橋西門外　鳳

凰橋縣西北　北固橋北門外　仙人橋南十里
減志云西北有釣魚臺仙人跡　盤白橋西南四十
二里　橋西有大地百畝世傳爲盤白觀基　泓口橋
西北三里　壚港橋九里水通古瀆　袁溪橋十
四里水通泓口　官圩橋二十里　李家渡橋三
十里俱水通前馬　嘉定橋四十里凌跨中江又
名中江橋　烏金橋北五十五里石出烏金　檀
石橋六十里前有蟠龍堰　藏舟橋存留倉西官
船出入處

溧水

縣城隋始築城周五里有竒宋紹定中知縣史彌鞏修之

國初鄧鑑更築周七百餘丈有六門洪武間郭雲重建正德中陳銘甃以磚尋毀陳憲因址築土城嘉靖初王從善展東隅砌石橋以瀉水十年水敗東南隅張問行修十七年水復潰至三十六年曽震造石城

縣治在城内淮水址唐元和撤縣立城隍廟移縣西

數十武宋仍舊元陞爲州洪武元年顧夆剏今所

二年復爲縣郭雲建

稅課局在縣治北　陰陽學　醫學俱治東南

僧會司　道會司

存留倉在表孝坊北　預備倉縣東南　新倉舊

名永豐在水陽鎮隆慶初徙縣西南二十里梅家

渡　先斯倉俸給倉右　養濟院小西門內即河

泊所故址　漏澤園東門外　義阡三所東門南

門大西門外

察院二一在通濟街北洪武間建成化中甯贇移置

今所一在望京街嘉靖間包桐建

府館通濟街北景泰間建

急遞鋪總鋪西北曰勝水曰烏山曰柘塘東曰尚書曰菱塘曰陵家曰楊塘南曰廟塘曰石堆曰三角曰孔鎮曰土山曰毛公西曰塘西曰埭東東北曰新安曰上店

官塘鎮縣東二十五里白鹿鄉　蒲塘鎮南二十五里賛賢鄉　孔家鎮西南四十五里仙壇鄉

浦口鎮北三十里歸政鄉

通濟橋縣大北門外今名東橋　南門橋宋皇祐重建　巫家橋俱南門外　望京橋西北　秦淮橋小西門外其下即秦淮水　利涉橋北三里

天生橋西四十里洪武二十五年崇山侯李新焚石鑿之　段亭橋東六里　獨山橋十里　五里牌橋南五里　尚義橋二十五里舊名蒲塘　土山橋五十里　神靖橋東南四十三里舊名神龍宋知縣李朝正易今名

江浦

縣城舊在浦子口

國朝洪武四年立應天衛命指揮丁德築城周一十六里有奇其門五後遷治曠口山萬曆元年始築土墻六百九十餘丈下甃以石三年增築重垣

縣治在曠口山之陽洪武九年創置於浦子口城二十四年移今治佽存仁建景泰中羅信修

稅課局在北門外後革隸於縣今復設　江淮驛

治南二里　陰陽學　醫學俱治東　僧會司

道會司

俸給倉　存留倉　預備倉　社倉上四倉俱治

東北一里　養濟院治東一里

察院二一在治東三里一在治西二里

屯田察院浦子口城

府館縣治東

户部分司在浦子口城

西門館浦子口城萬峯門外

東葛館西北三十五里即舊東葛驛址

急遞鋪總鋪達六合曰浦子口達和州曰甩廟曰高望曰蛇冲曰横路曰號崗達滁州曰石山曰黄岩曰東葛城曰西葛城

烏江鎮在西南七十里遵教鄉本秦烏江亭晉始置縣南北朝改郡隋復縣宋紹興中廢爲鎮　香泉鎮西三十里任豐鄉近湯泉　高望鎮西南二十里

淳化橋在治西一里洪武初開新路甃石建正統間重修　騰蛟橋　起鳳橋二橋學左右　育英

橋青雲樓下　阜安橋西街口　石磧橋南三十五里　茅塘橋北三十里洪武三年建　横橋四十里洪武十三年建通浦子口驛路　沙河橋浦子口城滄波門外　通江橋萬峯門外

六合

縣城漢爲堂邑縣始築城至南北朝築秦郡城盖跨河爲一宋紹興二年步帥閭仲請就舊濠築城在河北有四門隆興初郭振城北又築一城二城俱砌以磚又數年築河南土城乾道紹熙嘉泰相繼

修之元仍故

國初城廢成化十年唐詔搠門四後每隅增一門嘉靖三十四年鑿濠治壮三十九年築堡圍縣署

縣治在滁河壮岸舊爲郡治河南有御書鼓角二樓紹興三十一年燬寓城壮尋復故址嘉定七年知縣劉昌詩重建洪武元年胡有源遷今治林至萬

廷珵李楚周徹修之

稅課局舊在東南正統間革景泰三年奏復建治西南　瓜埠巡檢司瓜埠山下初去河半里許後

徙今處　棠邑驛縣治東　瓜埠三汊河泊所治東一里　陰陽學　醫學俱治前　僧會司　道會司

縣倉在稅課局西正德八年萬廷瑆建嘉靖三十九年移建旌善亭後　預備倉有東西南北四倉洪武二十三年建今廢嘉靖三十九年併縣倉

養濟院洪武八年建于縣西後廢成化初唐詔重建治東北　漏澤園宋紹興二年置于東門外今四門俱有義阡

察院在治東北洪武十一年李仲羙建
府舘察院東弘治中建
急遞鋪總鋪東曰馬橋曰堠子南曰林家曰梁塘江浦適中處曰駱家西曰程家橋
宣化鎮在六合山東濵宣化江宋有廵司稅務紹興十一年張俊敗績走此唐韓翃詩過江聲六合暮楚色萬家春白紵歌西曲黄苞寄北人
長蘆鎮南二十五里濵長蘆江宋設沿江廵檢官監稅渡唐李白詩遥維舟至長蘆目送烟雲高揺扇對酒樓把

袂持蟹螯仙尉趙家　北英風凌四豪前塗倘相思登嶽一長謠（宋梅堯臣詩）帶月出寒浦殘星浸水濆帆開風色正舟急浪花分霧氣橫江白雞聲隔岸聞天晴建業近鍾岫起孤雲（元張以寧詩）水燕天去無邊白山過江來不斷青　瓜步鎮在瓜步山下（宋劉長卿詩）瓜步寒潮送客楊柳暮雨沾衣故山南望何處秋草連天獨歸（宋蘇軾詩）吳塞蒹葭空碧海隋宮楊柳只金堤春風自恨無情水吹得東流竟日西　竹鎮治西北五十里宋設巡司稅務

韓世忠畢再遇敗走金虜於此今爲市宋史云距縣二十五里恐誤

龍津橋治南滁河上舊疊石爲十八衖後黄巢杞境燬之僅置渡往來宋紹興知縣龔楫重建尋廢洪武元年胡有源置船濟渡永樂元年胡銘惠仍造浮橋成化五年唐詔修嘉靖二十三年重建

冶浦橋治東跨冶浦河唐天寶十一年築以上紹興二十九年孫永復建嘉定十年劉昌詩永樂二年胡銘惠更建木橋宣德中史恩古始疊石爲衖

覆以屋宋史作冶新橋 追人橋來春門外宋太祖兵禦南唐至此故名 嘉會橋 仁和橋俱在治東 鍾秀橋治西以上跨城河 永定橋宋建洪武中重建 蘆門橋 青竹橋宋建 八伯橋唐開元五年建以上跨冶浦支流 馬家橋治東十里 善家橋在瓜步與儀真分岐處 瓜埠石橋善家西北下入匠人河 成家橋西二十五里 楊都橋西北十五里 茆家橋南二十五里通陳里港

高淳

縣城在淳溪河上嘉靖五年劉啓東築土城東北因岡阜西南藉淳溪爲壕甃七門

縣治在鎮山弘治五年始即鎮爲縣宋澄建嘉靖四年劉啓東修

廣通鎮巡檢司在治東南六十里洪武間建　陰陽學　醫學俱在治左

預備倉在治東南弘治中建嘉靖四年劉啓東復修　常豐倉舊名永豐嘉靖初重建在水陽去縣

三十里萬曆元年遷治西　養濟院在治左嘉靖
初增建
察院
府館俱在治西正義街
廣通鎮公館在巡檢司南嘉靖初修
急遞舖總舖東曰南塘曰尋真曰舊鎮曰遊山曰
湯師曰松兒南曰永豐曰永寧曰駝頭
廣通鎮在東南五十里洪武三十年建設石閘永
樂初去閘改築土壩設官吏溧陽溧水各僉夫四

十名守之
欽降板榜禁走泄水利湑淩蘇松田禾今壩官及溧陽夫俱革
集賢橋學門右正德十二年重建　育英橋學門左嘉靖五年重建　興仁橋　東新橋俱在東正義橋　西新橋俱在西　永濟橋治西嘉靖劉啓東建名浮橋隆慶五年重建更今名　仙人橋南十五里　諸家橋東二十里　張沛橋三十五里　溁橋東南三十里嘉靖二十三年重建　大

葑橋東北十里　水逼橋東南三十里近宣城界

驛橋廣通鎮下埧

論曰建置所志者城郭公署耳然興廢之故盛衰之候也故詳列之昔諸葛亮在蜀橋梁道路罔不修飭馬光祖治金陵時興建最廣而終不沒良牧之名抑其所務者大乎

應天府志卷十六終

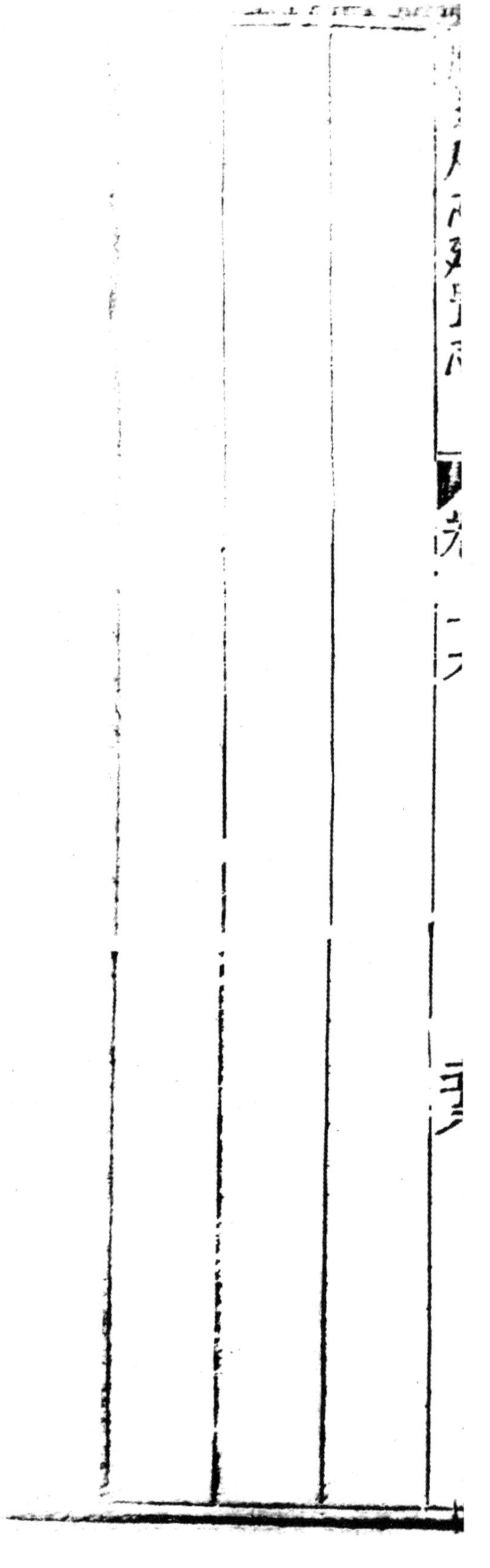

應天府志卷十七

官職志

爲民置吏匪曰具員稽古訓官俾之率屬

聖朝董正周室比隆京兆欽承百僚胥傚作官職志

宣宗章皇帝御製京府箴

奕奕京師四方所瞻京尹之職民庶是誠周之内史漢之三輔不輕畀人擇賢以付國家因之有尹有丞亦有庶僚用賛厥成芒芒區域輦轂其本王者施仁篤近舉遠爾體予懷務勤與周情必上通

澤必下流氷清玉剛準平繩直毋憚豪右毋縱姦慝趙張邊延顯顯前規毋愧古人祗我訓辭

御製各縣箴

人君代天子養兆民任牧民者邑令尤親丞簿佐令幕有贊畫民之休戚咸其所職保民之方心誠求之如父與母字厥孩提察其凍餒俾衣俾食恤其疾痛俾康俾適既厚其生必道其行有禮有儀善俗用興致恭神祀致勵學校毋肆侵漁毋縱苛暴爾端爾心務恪與誠政用有成民用底寧

國初改集慶路爲應天府設知府同知通判及經歷知事照磨後增治中推官洪武三年陞正三品賜銀印改知府爲府尹同知爲府丞以知府蘭以權爲府尹二十七年增檢校

應天府府尹一人府丞一人正四品治中一人正五品通判二人正六品推官一人從六品經歷司經歷一人知事一人照磨所照磨一人檢校一人其屬儒學教授一人訓導六人司獄司司獄一人廣積庫副使一人都稅司大使一人常

平倉大使一人江東聚寶門龍江三宣課司大使各一人朝陽門分司副使一人批驗茶引所大使一人秣陵鎮江東江淮三巡檢司巡檢各一人龍江石灰山二關大使各一人龍江裏外河泊所所官一人龍江水馬驛江東馬驛驛丞各一人陰陽學正術一人醫學正科一人

府尹掌京府事宣化和人勸農問俗均貢賦節征繇謹祭祀閱戶口糾豪強恤窮困録罪囚務知小民之疾苦月朔奏老人坊廂聽

宣諭令惟順天行之歲立春迎春其春牛春花進
太廟内官收送至京歲遣祭歷代忠臣便服行禮春
秋二仲釋菜
先師春冬行鄉飲酒禮凡圩堰陂塘行邑以時修築
八邑十歲造黄冊上于府冊有丁數田數凡賦
役皆按冊丁産爲多寡繁簡之差四季考府學
生歲貢學生二人三歲合試諸曹六館圻府諸
生而貢士焉先期題請考試官永樂後不進題
糾察吏治而上下其考三歲率屬入覲以聽

上黜陟凡
慶賀救護從省府凡
詔赦例令勘劄至謹受以下于屬稽考急遞毋留程
凡屬之政皆受約束於府府剤量重輕爲之出
令凡聽民訟行佐貳屬邑問理屬邑呈詳佐貳
解審考諸律例而允駁之
國有市易平其價召商而時給之商以時審之服
役凡南京外城南京工部修理景泰六年始奏
行府屬暫助撥人夫成化九年遂奏

准自馴象門起四門屬府歲春秋同內外守備工部閱視而修理之丞佐尹無分職缺則攝行其事治中清軍今理江防通判管糧或捕盜馬政推官理刑雖有專職皆尹綜督焉經歷典出納文移知事佐之照磨典磨勘卷宗檢校佐之教授掌教生徒訓導佐之凡生徒廩膳增廣各八十人附學無額凡學政遵卧碑提學御史申飭之提調於府教授訓導必謹受之凡學官視鄉舉人爲殿最凡府禮儀事學官司之司獄典獄庫

守藏凡屬縣歲輸及雜賦若贖金及事例鹽引兵餉後湖寄貯錢糧悉登籍稅課諸司典稅凡商儈屠市皆有常征以時榷之凡民間貿田宅操券契出直百之三令戶部分司收之而轉文於府以應文具倉典粟凡備賑及諸司贖穀與俸給各收支焉巡檢控要害譏察異常姦宄竊發則應時捕擊以聽巡捕之令三年計所捕僞印强竊盜逃軍匠囚民以爲上下考批驗茶引所典茶引稽其奸冒而愼防之驛遞典傳郵迎

送之事凡舟車夫馬廩糧庖饌裀褥皆取給於
丁糧受於府而籍其出入河泊所典魚課陰陽
學司上候天文晷漏醫學司方藥診療人民
上元江寧爲京府赤縣上元縣知縣一人正六品
縣丞一人正七品主簿一人正八品典史一人
其屬淳化鎮巡檢一人江寧縣知縣一人縣丞
一人主簿一人與上元同典史一人其屬大勝
驛江寧馬驛驛丞各一人句容縣知縣一人縣
丞一人主簿一人典史一人儒學教諭一人訓

導二人陰陽訓術一人醫學訓科一人僧會司僧會一人道會司道會一人六縣並同惟江浦無縣丞訓導止一人六合無縣丞主簿其屬句容稅課局大使一人龍潭巡檢司巡檢一人雲亭驛龍潭水馬驛驛丞各一人江浦浦子口稅課局大使一人江淮驛驛丞一人六合稅課局大使一人瓜埠巡檢司巡檢一人棠邑驛驛丞一人瓜埠三汊河泊所所官一人高淳廣通鎮巡檢司巡檢一人

知縣掌教養縣民之事縣丞主簿爲之貳凡諸縣務大略如府而縣尤親民歲貢縣學生聽試於提學御史三歲貢士聽選於鄉試歲撥實徵十歲造黄冊民之賦役視丁與產爲差賦歲二征役歲一征賦有粟賦金賦布帛及諸貨物之賦役有力役顧役借倩不時之役皆視其天時休咎地利豐耗人力貧富必調劑而均節之若歲大歉中歉請于府而議蠲賑焉無幸富强苦貧約凡詞訟必詢其情理稽律例而决之有不服

聽陳於府爲雪理焉凡養老祀神表善賑饑恤窮通貨之事時省而敦行之凡山澤之産資國用者按籍而貢焉凡民間利弊興革事宜必關白于府覈議而行之教讀教鄉塾木鐸宣

聖訓以警于民老人勾勘民間細事總甲邏察市里弓兵民壯執防捕之役縣丞管馬管糧主簿巡捕分職任事而領於知縣典史典出納文移或分領縣事儒學生徒廩膳增廣各二十人附學無額教諭訓導職如府學諸所屬驛遞巡檢河

洎如府屬者職亦如之

論曰

御箴在上日月相爲昭焉郡邑之職盡之矣顧兹根本重地保釐寔難有事于兹者其尚欽服訓詞以求无曠也乎

應天府志卷十七終

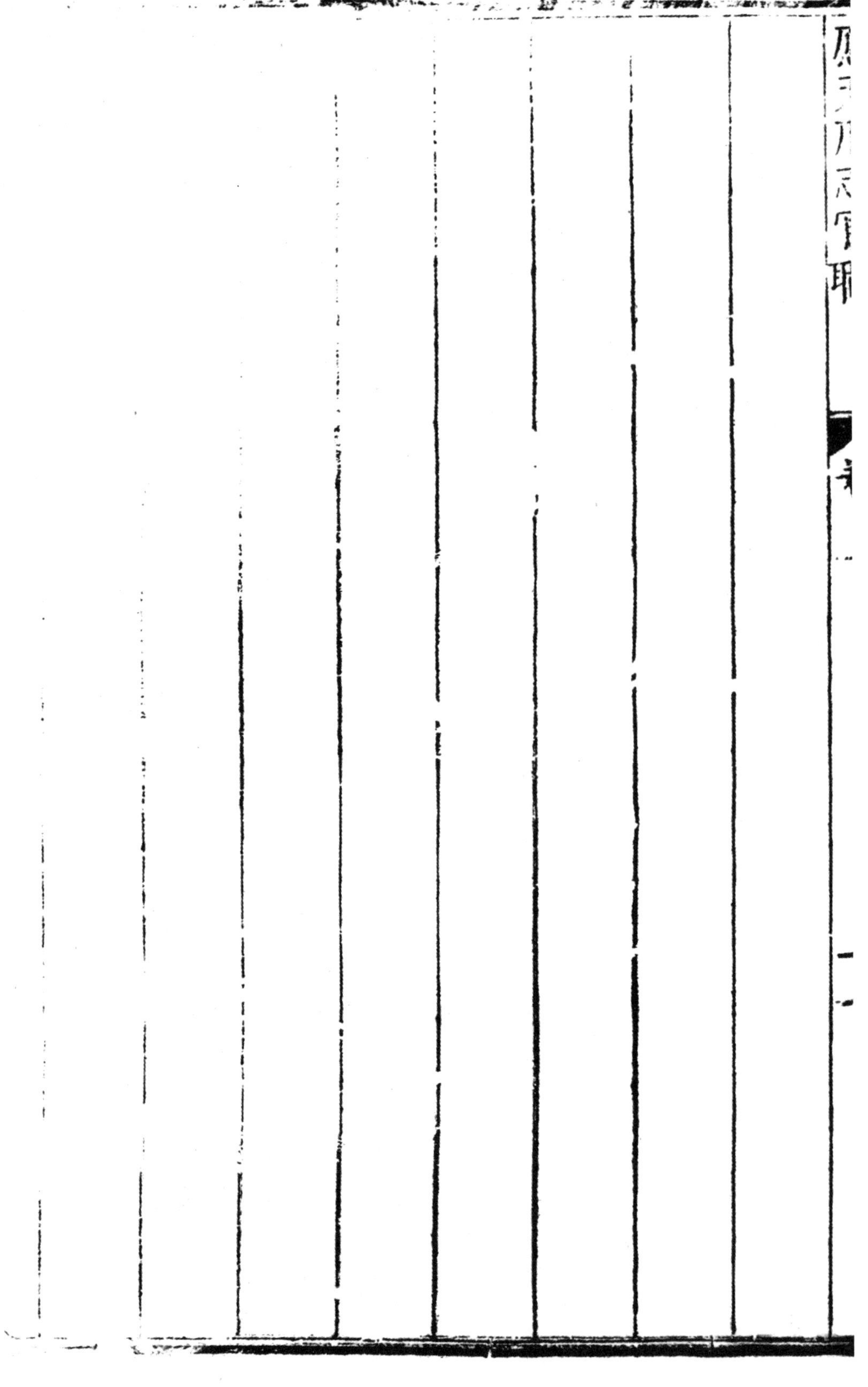

應天府志卷十八

學校

設庠陶士令甲孔昭貞教樹聲邦畿爲重以時崇報以制賓興美矣前修睠茲首務作學校志

府儒學在府治東南漢丹陽太守李忠起學校孫吳立學皆莫詳所在南宋立儒學於北郊命雷次宗居之宫院記儒學在鍾山之麓宋天聖建學府西北景祐徙府治之東南即今學淳祐六年趙以夫更命教堂曰明德元設集慶路學于

宋學故地大德五年脩行臺御史楊演有記一

畆之宮環堵之室一有敝陋則脩之唯恐弗亟

豈特宮墻爲然哉今泮宮修矣吾二三子來游

來歌道存目擊反求諸身盡思亦有未修者乎

於是貌仞墻之崇峻則思斯道之尊嚴觀經閣

之富盛則思吾心之六經聞金石之鏗鏘則思

一言一行有條有理如律吕之合節凢在門墻

共以是相諗

大明初改爲國學後復爲府學置一堂四齋以上元

江寧二縣學省入增二齋訓導及生員廪膳之
數永樂六年廟學災宣德七年守臣襄城伯李
隆府尹史怡重建少傅楊榮爲之記成化七年
復燬提學御史嚴銓復建即尊經閣爲後堂尹
魯崇志成之弘治間尹秦崇以石堤障秦淮水
正德間尹白圻繚以石檻元有豐碑覆以亭御
史蕭鳴鳳毁之嘉靖初都御史陳鳳梧乎學後
山重建尊經閣十年
制增敬一亭貯

宸翰敬一箴序范浚心箴程頤視聽言動四箴共六碑縣學如之侍讀黃佐有記

金陵故吳國也自

我

聖祖受命增其式廓作爲天府以統函夏而扁其學

宮之堂曰明德天下郡國學校靡得而同焉王氣所鍾山川炳靈視昔曼殊矣都人士之樂育者争自濯磨以自異於凡民越倫駿茂後先輩出蓋莘莘如也其在周易乾之象曰君子以自強不息法天健也而孫以飛龍則君道存焉天

府之名以之書之象曰君子以自昭明德法曰
升也而彖以錫焉則臣道存焉堂之名以之夫
日之運於天土之仕於君其義一也先王設爲
教學以逮於今米廩以養之黌宮以居之詩書
六藝以迪之藏脩游息以節之旦夕則揖讓登
降以示之朔望則瞻依拜跽以道之敬歲時則
有釋菜賓射之事而肄之以進退俯仰之度感
之以弦匏柎鼓之音動之以干旄羽籥之容所
以牖其心知和其血氣繕其性情釋其邪侈增

其粹美使之入而事親從兄保宗睦族出而忠
君親上展講援物內而存省懲窒外而動作威
儀無須臾而不學則其德也無須臾而不明矣
於戲日運於上而與天會則成歲功上仕於君
而承君休則成德業是役也匪爲美觀而已用
大造爾士崇厥明德光輔
聖天子以熙鴻號於無窮則諸公之志也藏儀脩業
者盍思所報乎哉　萬曆三年濬月河以石甃岸
易學前戶部地爲屏墻四年成之

先師廟在明德堂前宋雍熙中有文宣王廟在府西北三里冶城故基天聖七年張士遜徙廟浮橋東北景祐中改建今學內紹興六年脩江寧王

記春秋之世魯僖公能脩泮宮有史克者作頌鋪張揚厲惟叙其采芹采藻獻馘獻囚而已至若棟宇時制則畧而勿言意固有在矣別今日之事哉吾知今之意不在搴楹計工誇耀一時也蓋欲後進方領矩步升堂入室敦詩書閱禮樂然後發策決科致君澤民以繼踵先達益知

教化之所自來其所務者遠且大誠可嘉也淳祐六年增造兩廊以妥從祀元至大二年重脩盧摯有詩 孰昇于穹夫子之宮孰爨于昔而復于今崇臺有嚴植綱斯邦維教斯明維士斯甍爰才爰工于址于棟維宇斯楷維構斯隆既翼其居迺睟其容曰章曰縫迺粒迺饔迺藝鉛槧迺聲笙鏞縣條集成始王金終迺洋聖謨以鋪德音士習維羽而校斯林或蜚而冥或啄于陽或采其翰而儀其翔之習之卬而賓于王士式

臺萊而櫬而桷于焉度之以柱明堂昇校之光昇士毋忘

御史劉泰有脩祭器記

夫先王之立禮也有本有文忠信禮之本也義理禮之文也本以主乎中而不敢𨜶文以著乎外而不可闕所謂無本不立無文不行也列器數制度莫不起於時之宜事之當而有以成施於祭祀必盡已以實內外一致方能感格斯五禮中尤爲難者其本與文一或有闕致誠亦不至雖勉卒事不陷於如不祭者幾希是故擴忠信義理於齋

莊恭敬拜起坐立儀不步愆者亦本之所以立也簠簋籩豆行列有數者亦文之所以行也故曰器有一之不備則禮有一之不行是以本既立矣文既行矣内外交盡不虚矣明則人物懐其仁幽則鬼神饗其德必至乎是則祀事孔明庶無悔矣建康爲江南名郡人臺察蒞焉廟貌歸然學校脩整祀器燬于大德壬寅之火存者十不二三若弗補完是文不行於外而内雖有本安獨立耶我元大興文治加封孔子報德報

功禮降丁祀有司奉行固不敢不致如在之誠然而黍稷之馨弗實于簠簋水土之品弗登于豆籩雖曰明德惟馨亦奚指彼以明此哉噫器之未具也粢盛庶品一或不登無以表其明德今器既具矣庶品既既登矣誠或不足於有事之際雖黍稷之馨神亦不饗所謂誠爲實禮爲虚也有事於豆籩者可不謹乎

大明宣德七年重建大成殿嘉靖十年奉

制更今名

啓聖祠在明德堂左嘉靖十年奉
制增建
社學洪武時每坊厢各建一區擇耆舊爲之師
明道書院在鎮淮橋東北宋淳熙初留守劉珙以
明道程先生顥嘗爲上元簿祀之學宫朱文公
熹爲之記紹熙間即縣西偏祀之嘉定間改築
新祠眞德秀爲之記淳祐巳酉郡守吳淵更創
依白鹿洞規聘名儒爲山長理宗賜明道書院
額後馬光祖姚希得增脩元廢弘治間御史司

馬垔祀於學嘉靖初御史盧煥始即今址爲書院祠祀馬御史劉隅章衮增飭之

新泉書院在長安街西嘉靖初湛若水爲禮部侍郎史際以宅舍爲之因掘地得泉乃名焉有學田

崇正書院在清涼寺東提學御史耿定向建有學田

學田一百三十畝 上元縣徵租

貢院在秦淮上府學之東地廣十餘畝中有樓曰

明遠堂曰至公左右爲監試提調院列以謄録對讀供給諸所前空處卽東西文場地號若干間堂之後又堂七間三間爲會堂左右各二間爲考官燕居兩序則五經同考官宰堂後大池架梁於上池北之堂曰飛虹左右掖皆有屋隆慶初都御史盛汝謙賺隙地繚以土垣四通以巡警外設公舘及群舍以備供饌應天府領之

宋乾道四年知府史正志建貢院於建康西秦淮接青溪疑卽此地

句容縣學在縣治南唐開元十一年始建于縣署東宋皇祐知縣事方峻再建元豐二年葉表以縣南驛改造即今地紹興二十三年龔濤脩編脩江賓王爲之記元至大二年尹趙靖重建大明洪武十二年知縣韓繼脩景泰四年府丞陳宜易學西民地置教官廨嘉靖四十五年重建先師廟宋知縣事方峻更置元縣尹張士貴重建永樂中增脩祭酒胡儼有記　宣聖廟門準儀立戟十六始宋建隆二年至政和元年增爲二十

四戟所以備儀衛示尊崇也嗟夫學校教化所以出其興廢實守令之責然所以爲教化者豈專以廟堂爲美觀哉要之有其本也苟敝壞不治則無以將事既徹而新之此爲政者知脩其職也至於務本則吾黨之士當以勉之昔我

太祖高皇帝既定天下首崇學校之政教育人材作新士習貽謀於萬世者遠矣至我

皇帝繼承大統繼志述事表章儒術深念天下學者務科目進取致力於章句文辭之間而忘脩己

治人之術乃命儒臣取六經四書與諸先儒之
與論所以發明聖學維持斯道者類聚成書
賜名性理大全須之天下學校而嘉惠學者使
知務本之意所謂天祐下民作之君師德教之
隆超軼前古天下之爲師徒者當知此書美教
化而叙彝倫一道德而同風俗需此焉出非徒
科目進取之事也已成化十四年徐廣重建侍
郎尹直有記昔人謂仲尼之道與王化遠邇盖
孔道之行浹於邇斯被於遠勢同然也我

皇明尊用孔子之道陶範斯民迩自京師遠自四裔
無處無學無學無廟南京左
祖宗興王之所首善之地教道所從施應天京府也
句容應天屬邑居南京不百里而近其沐浴聖
教衣被王化于今百餘祀最先且浹故其士習
之隆盛人才之彙興迥迭前古宜廟學之壯麗
宏偉甲四方乃見之　聖神如天洋洋在上凡
百襟佩游歌於斯也觀其巍然偉然肅焉於駿
奔之時凜然於拜謁之頃感發興起端其所學

而不雜誠其所存而不僞高則養正以成聖功

次則游藝以取高第躋顯仕斯不孤

朝家教養四方仰止京畿望邑不亦宜哉

啓聖祠在明倫堂後

射圃在縣治東陳敬宗有記

惟射之義廣矣大矣古者天子諸侯卿大夫士皆重之周官司裘共王虎熊豹三侯設鵠諸侯熊豹二侯卿大夫麋侯皆設鵠此大射之侯也王射三侯五正諸侯射二侯三正卿大夫射一侯二正士射豻侯二

正此賓射之侯也而州長射於州序其侯亦同賓射天子熊侯白質諸侯麋侯赤質大夫布侯畫以虎豹士皮侯畫以麋豕此燕射之侯也茲三射之侯以其飾之多寡而別尊卑焉天子射百二十步諸侯九十步大夫七十步士五十步所以明尊者所服之遠而卑者所服之近也其制度有如此者夫射不特施諸武事將以習禮樂焉故諸侯之射也必先行燕禮卿大夫之射也必先行鄉飲酒之禮所以明君臣之義與長

紉之序也天子有事於郊廟必先習射於澤宮擇士以助祭焉士者諸侯所貢之士也其容體比於禮其節奏比於樂而中多者得與於祭否則不與於祭而有慶讓黜陟之典焉所以重有德也諸侯繼世而立矣卿大夫有功而升矣而又試之以射考其德行與其才之高下焉所以慎其封爵也天子以騶虞爲節諸侯以貍首爲節大夫以采蘋爲節士以采蘩爲節節者禮樂之節也必脩其節而矢焉則射豈可以藝道觀

哉孔子射於矍相之圃賁軍之將亡國之大夫與爲人後者不敢入而唯幼壯孝弟耆耋好禮者得在賓位則躬執弧矢者其賢可知也故曰射之藝廣矣大矣句容射圃即古州長之射於州序之禮也凡習射於是圃者苟能揖讓進退不失禮節内正其志外端其體操弧挾矢審固而發庶幾乎習禮觀德克合古道矣予故歷叙古之天子諸侯卿大夫士禮樂制度以曉之使觀者咸知射禮之重如此而罔敢易視之也

學田一百三十三畝店十間提學御史聞人銓知縣周仕置

南軒書院在縣治北知縣周仕改接待寺爲之

正心書院在崇明寺東萬曆三年建

社學在縣治者五東西北與東南西南各一在鄉者十有六

溧陽縣學在縣治東南漢光和中縣長潘乾立校官唐縣令柳均興學校莫詳其處宋淳化五年知縣事夏侯戩建宣聖廟於縣西門外今廣惠

祠地皇祐四年查宗閔徙於今處紹興施祐嘉定陸子遹重脩元陞州學燬于兵

國初辛丑知州林公慶創建天順中燬成化初知縣員賢漸次脩復十五年知縣陳福改明倫堂爲後堂而更新之嘉靖元年湯凪闢迎秀門鑿泮池引注五五堰之水四十三年成之馬一龍易學後民地建尊經閣

先師廟宋初建徙大都與學同

明興辛丑年建永樂知縣李成張貞正統李銘並脩

啓聖祠在敬一亭左萬曆二年修

射圃在學右

學田嘉靖十七年知縣呂光洵始置後巡撫都御史張烜易田收租一百二十八石有奇知縣鄭一龍巡按御史董鯤邑人史際楊孟元相繼助田共田四百五十四畆工部尚書劉麟有記古之君子聞人有賜則與辭讓之心苟辭之而已焉則居之者爲誰是不然貧可也有故可也四教優入者可也噫嘻原憲之辭叔世希矣冉求

之請當時少之將非今日用財之斷案乎君子于此恒曰可以取可以無取少有未安即持遜避一國興讓其風穆如是心推之天下國家何施不可曰文曰道先立乎其本有士如斯亦足以仰荅今日置田之義

社學在縣東南隅

溧水縣學在大西門内唐武德建宣聖廟于縣治東宋熙寧二年知縣事關起遷于崇儒坊内寶祐改命教堂曰明倫元陞爲州學

大明復爲縣學知縣鄧鑑高譙甫相繼脩之成化重脩脩撰羅倫有記夫天下事有大而無難得人倡之而已矣禮義人心同然未有倡而不和者事無大於治天下禮義治所自出學校又禮義所自出建學以明禮義固治天下大事也以癯然儒者任天下大事一倡而上下和者如響賁者忘其財則勞者忘其力出謀於左右者忘其功吾是以知天下治無難也得人倡之而已矣倡之非其人不以其道而已矣禮義在人心固

不泯也善治天下者先善其倡之者而已公卿百執事所以佐天子以倡天下者也得其人則治且安不得其人則亂且危士之學於今日者固異日公卿百執事也師之倡於今日之士之學其固異日公卿百執事之倡也倡之無他明禮義以正其心脩其身以爲天下國家安且治之具也非徒倡之以與其學校以僥利達而已且勞人之力而費其財人情常難從事功常難立也若明禮義以道之則不費其財不勞其力

宜其易也二三君於爾邑人之甚難若既相與以有成矣則爲其易者其不能相與以有成哉吾固慶其將相與以有成而天下之人將被其澤也

嘉靖十七年知縣陳光華徙于京兆舘東謝廷循成之三十九年知縣曾震復即朝元觀基爲今學閣之屏成之

先師廟唐初廟址在舊縣治東三十步宋熙寧徙于學内紹興八年知縣事李朝正脩

明興更建正德間知縣何東萊重脩

啓聖祠

射圃舊在學東今廢

學田共二百八畝有奇知縣高翀教諭李旦置後

遷學欲鬻巡按御史董鯤贖存之

中山書院在北門外祀兵部尚書齊泰知縣謝廷

蒞置義田給其子孫在歸政鄉

社學十一在崇儒坊唐橋巷南門内北門外邰村

東巷邰倉西邰村倉後柘塘市蒲塘街洪藍埠

孔鎮各一今俱廢

江浦縣學在城東洪武十年創於浦子口城內二十五年徙縣曠口山之陽遂遷學焉即今處景泰中知縣勞鉞重建明倫堂嘉靖中張峯建青雲樓侯國治鑿泮池

先師廟洪武中創立成化十二年教諭吾哻重脩

啟聖祠

射圃在學右山下

學田十項有奇知縣王之綱以絶戶餘田入學租三百六十石

新江書院在縣治南祀定山先生莊杲南京禮部尚書湛若水建

社學在縣西

六合縣學在縣治西唐咸通中在滁河南光化中徙東門街北再徙縣治東宋治平中復徙城東臨河尋徙縣西高崗上建炎兵燹紹興十四年暫寓縣東古官舍遂因經藏廢院爲學二十九年復遷高崗故址紹熙四年知縣鄭縝拓之嘉定七年劉昌詩重建

大明洪武五年知縣陸梅創立正統間史思古黃淵相繼脩之祭酒陳敬宗有記惟學校育才以德行爲先成周盛世以鄉三物教萬民教之六行六德然後教之六藝先其本而後其末也故其賓興之賢無非濟濟多士藹藹吉人焉

聖朝崇尚儒術而以文學取士然其文皆出於六經

聖賢五常之訓仁義忠信之言所謂六德六行六藝之教即此而在非若唐宋詩賦之比今之蒞其職者切切以興學校爲務式覩盛美而凡

講習於中者宜何如其用心哉事君必思所以極其忠事親必思所以極其孝至於夫婦兄弟朋友必思所以各致其極存之於心而不失措之於躬而弗遠見之於事爲而不可奪涵養純熟習成自然充之以學問發之於文詞盖無非六經聖賢五常之訓仁義忠信之言與成周三物之教無以異他日賓興又何愧於多士吉人哉系之以詩曰伊儒之黌迭更廢興聿崇新規顯厰層宏惟聖有居於穆清廟惟賢有廡赫赫其

有櫂鼓鍾於論講肄之堂朝學暮書誦聲洋洋豆籩靜嘉禮樂攸備重覩盛美肅將祀事隆師親友是習是諏昔也怠荒今則進脩緇衣有雅肉粟攸繼廩養豐潔非習之儷皇明右文督勵孔勤樂育菁莪以陶以甄有偉名卿克相厥事作而新之益振士氣青青子衿報爾何由敦德勵行不愧成周翼翼其亭隆隆其碑於千百年斯文在茲　成化五年唐詔脩學士倪謙記之正德九年萬廷瑆脩南京鴻臚卿王守

仁記甚哉誠之易以感民也甚哉民之易以誠感也有司者賦民奉國鞭笞累縶不能得則反仇讐視之令縣尹學諭一言而民之應之若響使天下之爲有司學職者咸若是天下其有不治乎此可以爲天下之爲有司學職者倡矣民之愛其財與力至競刀錐嶄舉手提足寧殆其身而不悔令六合之民感其上之一言捐數十百金瘁精力爭先恐後使天下之爲民者咸若是天下其有不治乎此可以爲天下之民倡矣

夫民蔽於欲而厚於利苟有以感之然且不厭費已之財勞已之力以赴其上之所欲爲士者秀於民而志於民脩其明德新民之學以應邦家之求固不費財勞力而可能也苟有以感之有不翕然而興者乎嘉靖三十年董邦政脩之隆慶五年重建改向西南

先師廟在明倫堂前

啓聖祠在先師廟之左

射圃在學西今廢

學租嘉靖御史鄭光琬入房租銀二十三兩四錢

有奇知縣芊宰邵漳教諭陳洪表置田地租有

差

社學在縣治東正德間捐其地于民別於四門各

建一區

高淳縣學在縣治東通賢門外

大明弘治六年創十二年廟學規制始備正德七年

燬明倫堂御史徐冀周鵷重建

先師廟

啓聖祠

社學在賓陽門外

論曰夫民有血氣心知之性易爲邪僻古之士者皆教之而後用以六德六行六藝制賓興之典淑其心志防其淫佚及奮庸熙載鴻名茂實焜燿簡册非獨性然抑習之者素也漢吳來亡論已高皇帝起江左加意教化即位初首命郡縣建學頒降卧碑其作新化導之具同符三代况茲根本之地哉夫士居黌序貌榮名衰然爲齊民首而不能

敦崇實行追踪古哲豈國家建學之意哉

應天府志卷十九

田賦

國保于民所天在食式勤敷菑生乃乞殖貢稅有制經費有則節縮虛盈時哉良牧作田賦志

洪武戶一十六萬三千九百一十五

口一百一十九萬三千六百二十

弘治戶一十四萬四千三百六十八視洪武減一萬九千五百四十七

口七十一萬二千三視洪武減四十八萬一千三

百二十

隆慶戶二十四萬九千九百六十一

口八十萬一千五百一十七

洪武田土七萬二千七百一頃二十五畝

弘治官民田土六萬九千九百七十四頃八畝一分

八釐五毫一絲視洪武減二千七百二十七頃一十六畝八分一釐四毫九絲

萬曆官民田土六萬九千四百五頃二畝五分九釐

八毫四絲六忽二微二纖視弘治減五百六十九

頃五畝五分八釐六毫六絲三忽七微八纖
洪武夏稅麥一萬一千二百六十石
絹一千四百六疋
秋糧米三十二萬六百一十六石
弘治夏稅小麥一萬一千六百五十四石四斗四升
五勺五抄五撮視洪武增三百九十四石四斗四
升五勺五抄五撮
絲綿農桑絲共折絹一千三百五十七疋一丈三
尺四寸二分七釐二毫視洪武減四十八疋一丈

十六尺五寸七分二釐八毫

秋糧米二十一萬四千九百六十四石五斗八升一勺一抄視洪武减一十萬五千六百五十一石四斗一升八合八勺九抄

嘉靖十六年巡撫歐陽鐸通計夏麥絲絹馬草鹽鈔共准平米三萬六千一百六十五石二斗九合一勺又加里甲雜泒平米一十三萬一千七百四十四石八斗三升二合三勺時賦役繁難鐸奏准秋糧總徵民頗稱便但里甲額辦雜泒等項已徵米

在官其後科派重出所徵米如故自減去里甲外尚多十萬餘石不知其所從来以上二項合秋糧平米共三十八萬二千八百七十四石六斗二升二合五勺一抄内除荒白升陞續除豁共存平米三十五萬四千三百四十二石一斗六升九合五勺一抄八撮八圭五粟

萬曆三年奏減里甲平米三萬二千九百七石四斗六升五合二抄二撮一圭七粟一粒共存平米三十二萬一千四百三十四石七斗四合四勺九抄

五圭七粟九粒里甲秋糧帶征本欲便民但銀既在官隨意支銷遇有經費仍復重派今將諸項還歸里甲減去原額平米以杜侵漁餘具里里奏中荒白銀五千一百六十三兩四錢七分九釐九毫九絲五忽一微二纖五塵准平米一萬三百二十六石九斗五升九合九勺九抄二圭五粟二項共平米三十三萬一千七百六十一石六斗六升四合四勺八抄五撮九圭二粟九粒

起運平米三十萬九千二百四十三石六斗一升

六合二勺　抄

存留平米一萬四千四百二十八石八斗五升三合七勺一抄二撮七圭府縣學俸驛米取給於此

派剩平米八千八十九石一斗九升四合五勺五抄三撮二圭二粟九粒派剩者存留之餘貯積於縣如遇不時加派則取給於此不復重擾于民若復攺派則為厲階然不以應加派則又未免乾沒也

坊廂櫃銀九百兩萬曆三年奏准上江二縣里甲

之外又有坊夫乃洪武十三年取蘇浙人戶塡實京師原無田産不當差役正統二年本府府尹鄺埜始徵櫃銀以助里甲之不足令里甲猶有定數而坊夫輪季出銀每年五里朋當上江二縣至派銀三千餘兩不過支應縻費甚至里甲巳編又重派坊夫坊民受累逃移過半今遵詔査照坊夫丁口每年上元縣定編銀五百四十兩江寧縣二百六十兩此外分文不得私行科派惟令坊夫點賠凡修理紙劄刑具動支自行贓罰應

該二縣出辦者方行支取其二縣里甲已編者不得重派坊夫止照原編銀數逐一查議立爲定規每年終巡視科道造冊　奏繳坊夫不致流離轉徙以虛

祖宗塡實　京師至意

南京戶部都稅司鈔銀一百二十九兩二錢六分一釐九毫三絲七忽六微解府轉解部仍劄府支用

南京戶部正鈔銀一千八百六十四兩七錢一分

九釐九毫五絲九忽八微龍江江東聚寶宣課司太平門税課司朝陽門分司龍江裏外河泊所批驗茶引所解府轉解南京戶部以上諸司屬府舊徵本色送府解部隆慶以後奏改折銀又部院會題委主事御史各一員監督鋪戶報税投单批司徵銀即銀已輸分司矣季終又解府給文轉解徒滋煩費不若以諸司徑屬南京戶部爲便也

南京戶部鈔銀四百二十四兩九錢八分八釐七毫八絲龍江關石灰山關江東巡檢司瓜埠巡檢

司解府轉解部

南京戶部本色鈔五六萬八千七百二貫八百五十一文銅錢一十五萬二千八百六十文八分折色鈔銀六十二兩二錢六分三釐三毫四絲八忽九微六塵各縣解府轉解部

商稅銀二百五十六兩三錢九分三釐八毫三絲七忽七微各縣解府轉解部

魚油翎鰾銀四百三十八兩一錢六分七釐九毫二絲二忽八微七纖五塵各縣解府類解

蘆課銀一萬四千六百八十四兩六分二釐三毫六絲三忽五微五塵一沙

草場租銀除成熟報納民糧外該銀一千七百一十四兩二錢一分九釐八絲二忽八微

匠班銀一千一百六十七兩七錢五分共六二千五百九十五名每名銀四錢伍分

里甲銀六萬二千二百二兩八錢三毫六絲六忽五微二纖萬曆三年奏准　國初里甲之設以備攢勾攝且十年一役九年空閒于民甚便也後有

司一切私費盡科里甲於是不得已乃爲十甲徵銀朋當之計里甲之費于秋糧内帶徵坐派少則謂之派剩料價初意派剩存積以待不時之徵也久則那移支用不可詰問有一縣派剩千兩以上者一遇加派仍行科歛甚至一年暫派而次年停止者則開稱該縣徵收作正支銷以愚百姓耳目上江二縣與宛大二縣相同乃派走遞夫百司所集安能應付民困極矣巡撫歸併龍江遞運所小民稱便二縣又巧立小夫名色且勒二甲朋當歲

派銀幾二千兩今遵

詔除去秋糧內帶徵里甲銀兩扣筭通縣丁糧編派

正數無復派剩銀兩又裁革二甲朋當小夫應該

夫馬於驛遞應付其六合縣夫出自排門輪流科

歛爲獘更甚亦編定名數以絶獘端原額里甲該

銀一萬六千四百五十三兩有奇今將各項雜派

歸併里甲共編六萬二千餘兩其實里甲項下止徵銀

八千七百三十三兩六錢四分四釐七毫八絲四

忽

均徭銀四萬七千三兩二錢四分九釐五毫八絲八忽四微四纖九塵六沙七渺外帶閏月銀六十五兩六錢六分六釐四毫萬曆三年奏准各縣均徭原有定額嘉靖十六年書冊已非初制然不若今之冗濫也銀力二差俱有定數銀差者謂以差編銀不復雇役也力差者派與銀數自當雇役悉聽其便非於所編之外縱民過取也自一條編行有司於門皂斗庫獄卒徇情加添丁食有至三五十兩者浚民膏脂以潤左右深爲民病且

祖宗舊制役民不過里甲均徭應天所屬又巧立十丁夫名色凡不時之徵則派十丁夫弊不可言今

遵

詔將十丁夫查革凡各衙門一應銀力俱以書冊爲據查復舊額切見應天府所派差徭俱于各衙門應役往往執留批廻額外多取小民受累乞

勑該部查議通行遵奉

明詔

驛傳銀一萬五千七百七十七兩三錢八分萬曆

三年兵部題奉
欽依近來各驛疲苦至極假借勘合肆行牌票者絡
繹於途各撫按通不嚴禁查詰却只要增驛協濟
豈正本清源之道該縣驛不必添其餘依擬欽此
欽遵查得嘉靖十六年晝冊每上中下馬驢給與
鞍轡雨具草料工食有差帶徵支應銀兩給與該
驛支闕又帶徵鋪陳馬價銀兩俱以馬驢上下其
數扣存貯庫塡入循環稽查後來不考立法初意
止扣鋪陳銀兩馬驢未必一年倒死每歲給與價

銀至于馬驢帶徵支應銀兩亦不復查給各驛支
閏秋糧內已會計廪米各驛又申編館夫自當及
按館夫名數徵銀又不考原議各驛支應之額至
增一倍此民之所以益竭也遵
詔復舊扣存馬價買馬查給會計廪米扣給馬驢帶
徵支應銀兩切見遠年勘合并各省牌票仍前掛
號甚至本非軍情一槩借用火牌視繼內如邊方
甚駭觀聽且竭百姓之力不足以應其無窮之求
乞

敕該部查議通行嚴禁查詰查照書冊將府屬驛遞夫馬支應俱行改正復舊均從驛傳銀派有定額但隆慶二年減江防軍餉銀一千三百三十三兩有奇健勇銀五百四十兩鄉兵銀一千四百四十兩至萬曆二年又增蔄高師水手銀一千一百兩隆慶三年減海防銀一萬二千八百有奇至五年又增七千三百八十餘兩此皆往事自奏准定例之後良有司遵而行之可也

上元

坊廂凡十有六　十八坊　十三坊　十二坊　織錦坊　伎藝坊　貧民坊　六坊　木匠坊　東南隅　正東隅　太平門廂　三山門廂　金川門廂　江東門廂　石城圖廂

鄉凡十有八　泉水鄉　道德鄉　盡節鄉　興賢鄉　金陵鄉　慈仁鄉　鍾山鄉　北城鄉　清風鄉　長寧鄉　惟政鄉　開寧鄉　宣義鄉　鳳城鄉　清化鄉　神泉鄉　丹陽鄉　崇禮鄉

編戶共一百五十里

户三萬五千四百三十八

口一十四萬二千五十

田地雜產除

欽賜外民田五十四萬四千二百六十八畝七分六釐八毫五絲三忽 原額畝科平米六升六合八勺九抄五撮九圭一粟 今畝科平米六升九勺八抄四撮五圭二粟五粒八顆

坍江升神泉等鄉荒田一萬九千五十八畝八分四釐八毫三絲四忽 畝科荒白米七升七勺五抄

八撮八圭四粟

民地一十三萬九千二百六十八畝七分二釐三毫三絲　原額畝科米四升　今畝科平米三升五合

陞科蘆地三千八十畝七分九釐七毫　原額畝科平米七升七勺五抄八撮八圭四粟　今畝科平米七升

坍江并神泉等鄉荒地七千九百五十六畝九分七釐八毫四絲　畝科荒白米四升

民山塘灘塌潭蕩一十七萬五千六百六十五畝九分五釐二毫畝科平米一升

實徵平米四萬五百六十四石一斗四合五勺六抄四撮九圭五粟欽賜田土秋糧在內

荒白米三千八百一石八斗四升七合三勺二抄九撮每石折銀二錢五分各縣同共該銀九百五十兩四錢六分一釐八毫三絲二忽二微五纖准平米一千九百石九斗二升三合六勺六抄四撮五圭二項共平米四萬二千四百六十五石二升

八合二勺三抄九撮四圭五粟

起運平米三萬九千三百四十六石七十四升二合二勺一抄

存留平米二千六百二十七石一斗五升一合四勺

派剩平米四百九十一石一斗三升四合六勺一抄九撮四圭五粟書冊上元縣派剩米止二升銀止五分緣里甲内盈甲銀已于萬曆五年住徵此項合入派剩各縣同

南京戶部折鈔銀六兩二錢六分八釐四毫八絲二忽房屋酒醋銅錢二萬一千五百四十七文

蘆課銀七千八百六十四兩一錢一分三毫七絲三忽六微五纖

草場租銀二百二十七兩三錢九分三釐七毫二絲四忽

匠班銀一百七十八兩六錢五分

里甲銀七千四百三十六兩七錢一分一毫九絲八忽三微二纖丁七分石一錢五分五釐一毫六

絲二忽七微

均徭驛傳銀五千八百四十八兩一分二釐六毫

丁六分石一錢二分五釐三毫九微內均徭三千

六百兩一錢六分六釐六毫驛傳二千二百四十

七兩八錢四分六釐

坊夫銀五百四十兩

舊會計帶徵里甲條編幷坊夫小夫共徵銀一萬

八千八百七十一兩三錢八分四釐八毫一絲今

共徵銀一萬三千八百二十四兩七錢二分二釐

七毫九絲八忽三微二纖每年派銀五千四十六兩六錢六分二釐一絲一忽六微八纖

江寧

坊廂凡三十五　人匠坊五　正西舊坊二　貧民坊二　正南舊坊二　正東新坊　鐵貓局坊

正西新坊　正西伎藝坊　城南伎藝廂二　儀鳳門廂二　城南人匠廂　城南脚夫廂　江東新廂　清涼門廂　安德門廂　三山舊廂二

三山伎藝廂　三山富戶廂　三山新廂　石城

關廂　劉公廟廂　神策門廂　毛翁渡廂　江

東舊廂

鄉凡二十一　鳳東鄉　鳳西鄉　安德鄉　茱閡

務鄉　新亭鄉　建業鄉　光澤鄉　惠化鄉

處真鄉　歸善鄉　銅山鄉　朱門鄉　山南鄉

上北鄉　太南鄉　大北鄉　萬善鄉　隋車

鄉　馴翬鄉　永豐鄉　葛僊鄉　編戶共六十八里

戶一萬七千五百二十六

口五萬三千八百二十八

田地雜產除

欽賜功臣外民田四十七萬一百二十畝七分三釐五毫一絲二忽二微原額畝科平米七升五合五勺五抄四撮二圭今畝科平米六升八合九勺一抄八撮七圭一粟四粒一顆

荒田五千七百五十畝一分三釐五毫一絲畝科荒白米七升五合五勺五抄四撮二圭

灘田一百二十七畝六分五釐畝科荒白米四升

民地一十四萬四千五百八十八畝三分三釐五

毫一絲五忽六微原額畝科平米四升　今畝科平米三升五合

荒地五百四十七畝七分九釐七毫五絲畝科荒白米四升又六十八畝四分畝科荒白米二升

山塘蕩產灘塌一十萬八千八百二十九畝四分七釐一毫三絲五忽畝科平米一升

實徵平米三萬九千一百七十九石九斗六升六合三勺九抄八撮三圭一粟六粒欽賜田土秋糧在內

荒白米四百六十二石八斗三升二合九勺二抄六撮八圭七粟二粒共該銀一百一十五兩七錢八釐一毫八絲四忽二微准平米二百三十一石四斗一升六合三勺六抄八撮四圭二顆共平米三萬九千四百一十一石三斗八升二合七勺六抄六撮七圭一粟六粒

起運平米三萬六千一百四十五石八斗九升三合五勺三抄二撮

存留平米二千三百六石四斗三升七合八勺八

抄一撮泒剩平米九百五十九石五升一合三勺

五抄三撮七圭一粟六粒

南京戸部折鈔銀五兩四錢二分四絲六忽房屋

酒醋銅錢一萬八千六十五文

蘆課銀三千八百六十八兩三分八釐八絲七忽

三微四塵

草塲租銀一百七十五兩三錢七分七釐一毫一

絲八微

匠班銀一兩八錢

里甲銀共三千八百六十八兩八錢八分六釐一毫九絲一忽九微三纖丁四分五釐石八分六釐三毫五絲三忽六微

均徭驛傳銀共三千九百三十八兩七錢五分二釐六毫丁[illegible]分石九分二釐四毫八絲二忽五微

內均徭二千一百一十七兩一錢五分六釐六毫

驛傳一千八百二十一兩五錢九分六釐

坊夫銀三百六十兩

舊會計帶徵里甲條編幷坊夫小夫共銀一萬二

千七百一十兩二錢一分四釐九毫六絲五忽二微今共徵銀八千二百六十七兩六錢三分九釐九絲一忽九微三纖每年減銀四千五百四十二兩五錢七分五釐八毫七絲三忽三微七纖

句容

坊凡四　東南隅　西南隅　東北隅　西北隅

鄉凡十六　通德鄉　福祚鄉　臨泉鄉　上容鄉　承仙鄉　政仁鄉　茅山鄉　崇德鄉　句容鄉　來蘇鄉　望仙鄉　移風鄉　孝義鄉　仁

信鄉　風壇鄉　瑯琊鄉　編户二百一十四里
户三萬六千九十六
口二十一萬五千九百八十六
田七十三萬五百四十一畝八分八釐五毫原額
每畝科平米七升五合八勺八撮四圭三粟六粒
今畝科平米六升七合八勺八抄五圭七粟七粒
七顆畝科量折荒米二合七勺五抄六撮二粟二
粒
荒田六千九百九十三畝四分九釐三毫畝科荒

曰米一斗六升五合

地二十四萬八千六百九十六畝四分六釐八毫原額畝科平米三升七合一勺　今畝科平米三升又帶徵量折荒田賠荒一合六勺

荒地五千一百九畝六分三釐四毫畝科荒曰米一斗一升五合

山塘蕩塌四十五萬四千六百五十七畝四分六釐五毫山畝科米六合又賠荒一合塘原額畝科米一升四合九勺七抄　今畝科米一升

實徵平米六萬一十八石六斗九升九合九勺八抄五撮八圭

荒白米四千五百四十七石五斗五升七合七勺

共該銀一千一百三十六兩八錢八分九釐四毫二絲五忽准平米二千二百七十三石七斗七升八合八勺五抄二項共平米六萬二千二百九十二石四斗七升八合八勺三抄五撮八圭

起運平米五萬八千三百八十九石六斗六升五合五勺

存留平米二千二百九十二石一斗七升五合九勺四抄八撮

派剩平米一千六百一十石六斗三升七合三勺八抄七撮四圭

南京戶部折鈔銀五兩四錢五分三釐三毫一絲六微

房屋酒醋本色鈔一百六十貫一百六十一文

窑冶銅錢一萬八千五百文稅課局本色鈔二萬三千四百七十三貫七十三文

商稅歲閏銀一百一十八兩五分三釐二毫三絲

七忽七微

蘆課銀四百二十三兩八錢九分六毫六絲一微

草塲租銀五百七十三兩六錢五分

匠班銀五百兩八錢五分

里甲銀一萬四千二百兩三錢二分一釐六毫七絲七忽丁八分五釐石一錢七分二釐五毫一絲八忽九微

均徭驛傳銀一萬七千一百九十兩三錢九分五釐六毫八絲二忽二微五沙丁一錢石二錢一分

九釐三絲九忽七微內均徭一萬三千一百七十三兩六錢五分五釐六毫八絲二忽二微五沙驛傳四千一十六兩七錢四分

舊會計里甲等項共編銀三萬八千七百四十八兩五錢三分五釐五毫八絲七忽二微五沙今共徵銀三萬一千一百九十二兩七錢一分七釐三毫五絲九忽二微五沙每年減銀七千五百五十五兩八錢一分八釐二毫二絲八忽

溧陽

坊凡八東坊　西坊　南坊　北坊　中坊　中

左坊　中右坊　新坊

鄉凡十三永成鄉　福賢鄉　舉福鄉　明義鄉

惠德鄉　德隨鄉　從山鄉　桂壽鄉　奉安

鄉　崇來鄉　來蘇鄉　永泰鄉　永定鄉編戶

二百一十里萬曆三年又析置二十里

戶二萬四千八百三十三

口十六萬一千八百八

田一百一十一萬一千六百四十八畝三分六釐

五毫原額畝科米八升四合五勺二抄五撮三粒

今畝科米七升六合六勺二抄一撮二粟

地一十四萬六千四百四十六畝二分三釐九毫

原額畝科米三升二合七勺二抄五撮八圭三粒

今畝科米三升

山塘三十四萬九千八畝九分二釐原額畝科米

五合三勺八抄三撮二圭三粒　今畝科米五合

實徵平米八萬五千四百六十八石六斗五升八

合八勺六抄二撮三圭七粒

荒白米五千八百四十五石三斗八升七合七勺

共該銀一千四百六十一兩三錢四分六釐八毫

五絲。准平米二千九百二十二石六斗九升三合

七勺二項。共平米八萬八千三百九十一石三斗

五升二合五勺六抄二撮三圭七粒

起運平米八萬三千一百一十四石四斗四升九

合二勺五抄

存留平米二千六百一十三石二斗三升七合九

勺六抄

泒剩平米二千六百六十三石六斗六升五合三勺五抄二撮三圭七粒

南京戶部折鈔銀一兩五錢九分四毫房屋酒醋

本色鈔一千九百五十七貫四百八十五文窰冶

商稅歲閏銀三十五兩八錢四分九釐二毫

草塲租銀三百四十三兩九錢八分九釐二毫

匠班銀三百一十二兩七錢五分

里甲銀一萬三千七百八十七兩九錢六分九釐一毫九絲丁六分五釐石一錢三分三釐三毫五

絲四忽八微
均徭驛傳銀一萬四千七百八十八兩九錢五分
四釐四絲八忽一微七纖三沙七渺丁七分石一
錢四分五釐七毫三絲六忽内均徭一萬一千一
百一十七兩三錢四分四絲八忽一微七纖三沙
七渺驛傳三千六百七十一兩六錢一分四釐
舊會計里甲等項共編銀三萬四千三百六十九
兩四錢八分二釐三毫六絲外閏月銀五百三十
五兩七分六釐九毫六絲今共編銀二萬八千五

百七十六兩九錢二分三釐二毫三絲八忽一微七纖三沙七渺每年裁銀五千七百九十二兩五錢五分九釐一毫二絲一忽八微二纖九塵六沙三渺外閏月銀五百三十五兩七分六釐九毫六絲

溧水

坊凡八　東隅　西隅　南隅　北隅　東北隅　東南隅　西南廂　西北隅

鄉凡十一　上元鄉　思鶴鄉　賛賢鄉　白鹿鄉

豐慶鄉　歸政鄉　崇賢鄉　長壽鄉　山陽鄉

仙壇鄉　儀鳳鄉

編戶共一百四里

戶一萬七千七百六十四

口一十萬五千六百五十六

田四十九萬三千四百九十四畝八分七釐一毫一絲三忽七微

原額畝科米七升九合一勺二抄三撮五圭　今畝科米七升三合一勺二抄五撮七圭五粒

荒田九千三百八十七畝七分九釐五毫六絲四

忽畝科荒白米七升九合一勺二抄三撮五圭

廢田四千七百六十八畝一分二釐三毫七絲四忽畝科荒白米二升六合三勺七抄四撮五圭

草塲一千五百七十四畝八分三釐五毫五絲畝科荒白米一升五合八勺二抄四撮七圭

地一十五萬二千八百二十一畝九分三釐五毫九絲一忽五微原額畝科米二升七合四勺四抄一撮　今畝科米二升

荒地八千四百五十畝二毫一絲七忽原額畝科

米一升三合七勺二抄五圭　今畝科米一升

雜產五十二萬五千一百七十三畝八分九釐九毫四絲五忽二微山塘原畝科米三合五勺六抄三撮八圭五粟　今畝科米三合五勺滿濠畝科平米一合七勺八抄一撮九圭二粟五粒

實徵平米四萬六百五十七石二斗九升四合九撮二圭一粟二粒

荒白米一千三百二十四石四斗四合九勺五抄八撮七圭該銀三百三十一兩一錢一釐二毫三

絲九忽六微七纖五塵准平米六百六十二石二斗二合四勺七抄九撮三圭五粟二項共平米四萬一千三百一十九石四斗九升六合四勺八抄八撮五圭六粟二粒

起運平米三萬八千五百四石三斗五升一合二勺

存留平米一千五百九十三石七斗六合二勺七抄五撮二圭五粟

派剩平米一千二百二十一石四斗三升九合一

勺三撮三圭一粟二粒

南京戶部折鈔銀一錢二分三釐房屋本色鈔五百三十八貫七百五十文窰冶銅錢一千四百八十八文税課局本色鈔一千五百九十九貫七百五十四文商稅門攤銅錢四千二百九十八文折色鈔銀三錢三分酒醋河泊所折色鈔銀五兩六錢九分五釐魚課

魚油翎鰾折銀一百二十三兩四錢九分一釐

草場租銀一十四兩八錢五分七釐

匠班銀一百兩三錢五分

里甲銀一萬二百七十八兩六錢九分一釐四絲八忽四微七纖丁九分五釐石二錢七釐一絲七忽

均徭驛傳銀一萬七百六十八兩九錢九分二毫二絲九忽八微六纖一塵四沙六渺丁一錢一分石二錢一分五釐四毫六絲三忽三微內均徭八千二百八十三兩九錢四分二釐二毫二絲九忽八微六纖一塵四沙六渺驛傳二千四百八十五

兩四分八釐

舊會計里甲條編等項共徵銀二萬三千五百九十二兩一錢六釐五毫七絲二忽八微七塵五沙外閏月二百三十六兩六錢四分六釐今共徵二萬一千四十七兩六錢八分一釐二毫七絲八忽三微三纖一塵四沙六渺每年減銀二千五百四十四兩四錢二分五釐二毫九絲四忽四微七纖六塵四渺外閏月二百三十六兩六錢四分六釐

江浦

鄉凡七 孝義鄉 白馬鄉 任豐鄉 遵教鄉

懷德鄉 豐城鄉 崇德鄉 編戶共一十九里

戶二千六百六

口二萬五千一百三十六

田一十三萬八畝一分一釐三毫四絲七微二纖

原畝科米七升四合 今科米六升五合八勺八

抄七撮四圭三粟

地四萬六千六十三畝五分二釐二毫一絲三忽

原畝科米四升二合 今科米四升

山塘雜產八千六百五十七畝　原畝科米一升五合六勺八抄　今畝科米一升

實徵平米一萬四百九十五石一升三合四勺二抄九撮九圭二粟

荒白米一千十八石二斗零該銀二百五十四兩五錢六分一釐六絲四忽准平米五百九石一斗二升二合一勺二抄八撮二項共平米一萬一千四石一斗三升五合五勺五抄七撮九圭二粟

起運平米九千六百六十一石六斗五升七合一

勺
存留平米一千一百九十六石二斗九升一合九勺八抄五撮
泒剩平米一百四十六石一斗八升六合四勺七抄二撮九圭二粟
南京戶部折鈔銀一兩七錢八分六釐五毫房屋銅錢五千九百五十五文稅課局本色鈔三萬八千六十貫商稅門攤銅錢七萬九千三十四文折色鈔銀八錢七分四釐二毫酒醋

牙稅銀九兩五錢三分六釐八毫

蘆課銀八百三十四兩五錢八分七釐七毫二忽四微五纖一塵一沙

草場租銀一十六兩九錢九分七釐四毫二絲

匠班銀四兩五分

里甲銀二千四百五十一兩五錢七分四釐九毫五絲二忽四微丁一錢五分石一錢四分四毫六忽八微

均徭驛傳銀二千四百五十九兩八錢二分九釐

三毫八絲九忽八纖七塵一沙丁一錢五分石一錢四分五釐九絲二忽二微内均徭二千一百二十九兩四錢九分九釐三毫八絲九忽八纖七塵一沙外閏月五兩驛傳三百二十五兩三錢三分一沙外閏月五兩

舊會計里甲條編等項共徵銀六千七百五十九兩二錢二釐四毫九絲五忽七微一纖八塵一沙外閏月五十六兩四錢二釐今共徵銀四千九百一十一兩四錢四釐三毫四絲一忽四微八纖七塵一沙每年減銀一千八百四十七兩七錢九分

八釐一毫五絲四忽二微三纖一塵外閏月五十
六兩四錢二釐

六合

里凡二東里　西里城內

都凡五東三都　南門五都　北四五都　上三
都　下三都編戶共十七里

戶三千一百七十二

口二萬九千五百八十

官民田一萬八千五百五十九畝五分九釐二毫

一絲官田原畝科米一斗五升　今畝科米一斗
二升民田原畝科米九升六合　今畝科米六升
七合五撮五粟
官民地七千一百九十四畝四分六釐二毫六絲
官地原畝科米一斗四升　今畝科米一斗民地
原畝科米九升六合　今畝科米九升
官民塘一千七百七十一畝三分二釐五毫五絲
官塘原畝科米一斗一升　今畝科米一斗民塘
原畝科米七升

農桑三千七十株株科米一升四合一勺四抄
實徵平米三千七百四十四石六斗四升六勺八抄
撒餘米四十五石一升二合二勺三抄三撮六圭
四粟八粒
荒白米一百石三斗四升八合該銀二十五兩八分七釐准平米五十石一斗七升四合二項共平米三千七百九十四石八斗一升四合六勺八抄
起運平米二千九百五十九石三斗三升四合八

勺五抄

存留平米八百一十三石七斗二升六合七勺七抄一撮八圭

派剩平米二十一石七斗五升三合五抄八撮二圭

南京戸部折鈔銀四分九釐五毫三絲房地銅錢一百六十五文稅課局折鈔銀一錢五分五釐二毫酒醋銅錢五百一十七文河泊所折鈔銀二十一兩九分八釐九毫九絲四忽魚課

商稅歲閏銀八十二兩九錢五分四釐六毫

魚油翎鰾折銀六十兩八分二釐六毫五絲

蘆課銀一千六百九十三兩四錢三分五釐五毫二絲

草場租銀一百六十四兩二分一釐四毫

匠班銀四兩五分

里甲銀三千七十一兩三錢三分五釐四毫八絲二忽四微丁一錢七分二釐六毫五絲九忽九微石二錢

均徭驛傳銀三千三百五兩二錢一分八釐五毫四絲三忽八微三沙六渺丁二錢三釐三毫二絲七忽四微六纖石二錢一分四釐內均徭二千三百八兩二錢八分八釐五毫四絲三忽八纖三沙六渺外閏月五兩驛傳九百九十一兩九錢三分

舊會計里甲條編等項共徵銀一萬二十九兩五分一釐六毫四絲三忽八纖三沙六渺外閏月二十九兩今共徵七千六百六十三兩五錢五分四釐二絲五忽四微八纖三沙六渺每年裁銀二千

三百六十五兩四錢九分七釐六毫一絲七忽六

徵外閏月二十九兩

高淳

鄉凡七崇教鄉　立信鄉　遊山鄉　安興鄉　唐昌鄉　永寧鄉　永豐圩鄉編户共四十一里

户一萬二千五百二十六

口六萬七千四百七十三

田四十四萬六千九百三十二畝九分一釐原畝科米八升九合七勺五抄五撮九圭　今畝科米

八升六合五抄六撮二圭八粟畝帶徵荒米七合九勺五抄一撮二圭

廢田五百二畝二釐五毫原畝科米三升　今畝科米二升五合

地七萬六千四百四十八畝二分七釐原畝科米二升　今畝科米二升五合

象馬場地一千八百一十七畝三釐二毫原畝科米一升五合　今畝科一升二合

雜產三十萬八千七百八十四畝八分一釐廢圩

荒灘畝科米一升山墩河蕩灘塘畝科米四合草

塲水灘畝科米五合

實徵平米四萬一千二百六石三斗二升六合五勺六抄五撮一圭七粟四粒

荒白米三千五百五十三石二斗九升七合六勺該銀八百八十八兩三錢二分四釐四毫准平米一千七百七十六石六斗四升八合八勺二項共平米四萬三千八十二石九斗七升五合三勺六抄五撮一圭七粟四粒

起運平米四萬一千一百二十一石五斗二升二
合六勺五抄
存留平米九百八十六石一斗二升五合四勺九
抄一撮二圭五粟
派剩平米九百七十五石三斗二升七合二勺二
抄三撮九圭二粟四粒
南京戶部本色鈔二千九百一十三貫六百二十
八文窑冶商稅門攤銅錢三千二百九十文折鈔
銀八錢四分三釐酒醋房屋河泊所鈔銀一十二

兩五錢七分四釐五毫八絲七忽 魚課

魚油翎鰾折銀貳百五十四兩五錢九分三釐

草塲租銀一百九十八兩四錢一分七釐

象塲租銀五十九兩五錢九分五毫

匠班銀六十五兩二錢五分

里甲銀七千三百五兩三錢一分一釐二絲六忽

丁七分五釐石一錢六分三釐三絲八忽五微

均徭驛傳銀四千五百四十六兩一錢四分二釐

八毫九絲六忽四纖九塵九沙四渺 丁五分石一

銀二釐八毫八絲五忽一微内均徭四千三百二十八兩八錢六分六釐八毫九絲六忽四纖九塵九沙四渺驛傳二百一十七兩二錢七分六釐

舊會計里甲條編等項共徵銀一萬二千七百九十六兩七錢三釐四毫二絲六忽四纖九塵九沙四渺外閏月一百四十二兩五錢三分一釐今共徵一萬一千八百五十一兩四錢五分三釐九毫二絲二忽四纖九塵九沙四渺每年減銀九百四十九兩二錢四分九釐五毫四忽外閏月一百四

十二兩五錢三分一釐

論曰應天　帝跡所自起

聖祖屢優詔蠲租賦其爲根本慮遠矣是後紛更不一大都欲解煩苛圖便安也然以雜役併之正稅卒廼正稅不可除而雜役旁午焉蓋屢變而輒重至於今極矣法可易言哉語曰興利不若除害志中詳列之使夫恤民隱者其尚畫一之思乎

應天府志卷十九終

應天府志卷二十

祠祀志

聖王制祀以達幽明功德于兹時哉廟食民愚易惑左道禱張崇正黜邪用誠末俗作祠祀志

本府

社稷壇在府治北金川門外舊在城西南江寧縣社稷同處正統令應天府祀社稷始建于此

山川壇在府治東南雙橋門内

都城隍廟在鷄鳴山學士劉三吾撰碑凡本府官

新任謁焉

泰厲壇在府治西北神策門外

将忠烈廟子文爲秣陵尉逐盜至鍾山死而靈異吳大帝立廟孫陵岡封爲中都侯改鍾山曰蔣山晉加相國重爲立廟南宋初廢後修復封蔣王齊進號蔣帝南唐謚曰莊武徐鉉撰廟碑宋賜額惠烈洪武復建于鷄鳴山易今額學士劉三吾奉
勅撰記

漢壽亭侯廟祀關羽宋慶元建于城東南隅洪武
中遷于鷄鳴山
卞忠貞公廟蘇峻亂壼爲将軍死難二子眕盱皆
赴敵死塟冶城立廟謚忠貞南唐即墓側建忠
貞亭宋慶曆葉清臣改曰忠孝紹興廟曰忠烈
中祀壼右列二子侍中嵇紹配享洪武中復建
忠貞廟于鷄鳴山學士劉三吾奉
勑撰記忠烈廟如故又即廟側建歷代忠臣祠祀南
唐中書侍郎陳喬宋通判楊邦又御前統領姚

興王拱

曹武惠王廟彬平江南不妄殺僇宋人立祠祀之

封濟陽王諡忠惠廟在江寧社壇前洪武中改

建于鷄鳴山學士劉三吾奉

勑撰記

劉忠肅王廟仁贍仕南唐周師壓境其子欲降斬

之城陷不屈而死舊在上元縣西洪武中改建

于鷄鳴山黄子澄撰碑

衛國忠肅公廟福壽爲元江南行臺御史大夫歲

丙申
天兵下集慶死之
詔立廟旌其忠在城南上門岡洪武中改建于鷄鳴
山劉三吾撰記
以上六廟隸太常歲遣本府堂上官致祭
名宦祠在府學左
鄉賢祠府學右二祠正德九年建
表忠祠在全節坊萬曆三年本府奉
詔創立祀建文死節諸臣文臣則方孝孺陳廸齊泰

鐵鉉　晷昭　侯泰　景清　卓敬　郭任　盧逈　黄觀　黄魁
陳植　胡子昭　練子寧　陳性善　茅大芳　黄子澄　周
璿　司中　胡閏　盧原質　廖昇　彭與民　劉瑞　王高　鄒
瑾　王叔英　王艮　周是修　龔泰　陳繼之　韓永　黄鉞
戴德彝　高翔　王彬　王度　甘霖　謝昇　葉希賢　董庸
王玭　鄭公智　魏冕　巨敬　樊士信　李文敏　鄭居貞
林嘉猷　湯宗　姚善　葉惠仲　陳彦回　黄希范　宋徵
黄彦清　劉璟　程道　陳思賢　劉政　伍性原　陳應宗
林珏　鄒君默　曾廷瑞　吕賢　武臣　則徐輝祖　梅殷

耿璿廖鏞陳質耿瓛俞通淵張倫王資崇剛周

拱元倪諒共七十九人

三聖廟在府治西北祀倉帝史皇氏餘水并

禹王廟在保寧坊磨盤街口

吳大帝廟唐建舊志淸凉寺西相傳即吳故宮宋

景定姚希得徙建天慶觀側

晉元帝廟唐天祐二年置在卞將軍廟西宋嘉定

五年黄度作新廟於石頭兩廡列當時名臣三

十六人附享

青谿先賢祠在青谿上宋開慶元年馬光祖建祀周吳太伯越范蠡漢嚴光諸葛亮吳張昭周瑜晉王祥周處王導陶侃卞壺謝安謝玄王羲之吳隱之宋雷次宗齊劉瓛陶弘景梁蕭統唐顏真卿李白孟郊南唐李建勳潘佑宋曹彬張詠李及包拯范純仁程顥鄭俠楊時李光張浚楊邦乂虞允文朱熹張栻吳淵勝真德秀共四十一人各爲賛

武成王廟唐開元中立南唐改建於御街之西

吴伍相廟在上元縣長寧鄉景定志子胥解劍渡處曰胥浦西有伍相林竹篠滿有伍相白馬廟

周江乘廟在攝山上相傳吴时人盖賢令也

梅將軍廟晉梅賾嘗屯營於雨花臺東岡後即其地立廟

康樂公祠即謝將軍玄廟在鳳凰臺東唐咸通建于城西南隅宋乾道閒改建今址正德吏部侍郎羅玘記

侯將軍廟填與王琳戰于烈山下大捷土人以填

功烈甚盛故名山曰烈建祠祀之

武烈帝廟在治城西祀陳仁果唐書隋末越人寇常州柴克宏帥師往救仁果見夢曰吾遣陰兵助汝及戰大勝克宏奏封武烈帝唐贈忠烈公宋加封賜額復封克宏靈翊將軍廟壁有董羽畫世傳名筆

雙廟在江東門外上新河北岸祀唐張巡許遠

范忠宣公祠在舊轉運司宋嘉定八年真德秀建

一拂先生祠鄭介公俠讀書清涼寺惟持一拂塵

邦人立祠祀之

褒忠廟在城南門外報恩寺南宋建炎三年即通判楊邦乂死所立廟以褒其忠紹興七年詔守臣修之其後知府事葉夢得爲之記端平初更建祠于學魏了翁記之尋廢萬曆四年復建于其墓前

旌忠廟南城鉄索寺之東南宋紹興統制姚興與金人戰死樞密葉義問立祠賜額

忠節廟在城東三里張浚督軍江淮時王珙戰殁

贈閬州觀察使立廟寨前賜額忠節
南軒先生祠在天禧寺魏公居建康時先生即天
禧寺竹間搆屋讀書名南軒淳熙三年杜杲建
祠
劉忠肅公祠在蔣山東庵淳熙中上元五邑士民
建祀留守劉珙
真文忠公祠寶祐間馬光祖重建于壽思堂之西
馬莊敏公祠在城隍廟東祀宋知府事馬光祖
忠烈廟在竹街祀宋靜江軍節度使牛富富霍丘

人以統制守樊城元兵陷城赴火死詔贈官謚

忠烈

東平忠靖王廟在江寧鎮元至正二年建

徐將軍廟在獅子山洪武初建學士宋濂記

王公生祠在雨花臺側壙黄嚴人爲府尹有德政

乞終養歸民立祠祀之

蕭直祠在富民坊西工部主事何遵正德時諫南

巡杖而死嘉靖初贈尚寶司卿祠祀之堂名表

忠

祭龍壇宋景德三年置在江寧縣西南陰山上

嘉惠廟在城東南二十五里紹興元年賜額慶元志丞相沈該政和中作邑上元禱雨應刻詩于

祠

句容

社稷壇在縣治西一里洪武元年立舊在子城北後移青元觀西南元樊仲式記自天子達於庶人得以通祀者社稷而已社祭土稷祭穀所以重民命也壇而不宇所以霜露風雨之也禮曰

王社曰侯社曰置社曰州社曰里社均之祀土也自天子諸侯而下以夫家多寡之數而爲之隆殺耳余稽諸經傳有曰民爲貴社稷次之又曰重社稷故愛百姓先王勤禮於社以神地道不曰所重民食乎夫長令民人社稷之所寄也苟不致謹於是不幾慢神病民哉按邑舊志土瘠民窶是宜尤加謹賢邑長以啓以承前後輝映其誠之所要重矣既又繫之詩俾邑人歌以祀神其詞曰我思勾龍繼社之宗亦有田祖曰

集曰神農之來矣說與我里有壝有壇陟降孔
邇靈鼓淵淵靈旆有輝以報以祈神其忻忻春
有獻禽秋有稻粱曰殺犧羊神其洋洋神既醉
止錫我多祉雨暘以時疫癘不起穀我穰穰樂
我壽康以翼以臣邦家之慶

山川壇在縣治東南二里洪武九年立

城隍廟在縣治南至元立景泰三年重建

名宦祠在縣治東北

鄉賢祠在縣治西南泰定二年建忠臣劉鄴孝子

張常洧二祠於講堂之西（胡炳文有記）祠鄉賢所以善風俗表忠孝所以厚綱常容邑祠非其鬼者甚衆古所謂鄉先生殁而可祭者學未有祠非欽典歟泰定乙丑乃始闢講堂之西爲之按邑志及史書唐張公常洧居喪盡孝廬墓三十六年劉公鄰事主盡義當黄巢之亂不懼賊而死此正李泰伯學記所謂爲子死孝爲臣死忠者也祠之於學見鄉先生之所以可祭者如此見士之所以爲學者當本乎此高山景行之

思秋蘋寒泉之薦使人親親尊尊之天油然不能自已者

邑厲壇在治東北

鄉厲壇一十二所在各鄉

護聖廟在茅山玄符官祀句曲山神歲五月五日有司祭

廣濟廟在茅山前有龍池相傳陶隱居豢龍于此歲旱禱雨輒應宋紹興勑封敷澤廣濟侯歲令有司驚蟄日祀之

馬神廟在治北

夏禹王廟一在秋于村一存赤山湖

梁文孝廟在東門内昭明嘗讀書茅山邑人祠焉

劉明府廟在縣東門内祀晉邑宰劉超天順間劉

義爲令有德政民肖像祠中

沈使君廟在縣北七十里仁信鄉祀宋沈慶之

李衛公廟在縣治東南唐武德四年輔公拓據丹

陽反靖討平之民遂祠祀

顏魯公廟在縣東顏家村宛陵太守王遂有記

盧大王廟在縣西北南唐史盧絳任江南昭武節度使城圍日頻立戰功及金陵陷募兵入閩以圖興復不果而敗邦人立廟祀之舊以為盧綰者誤

曹王廟在縣南祀武惠王彬

溧陽

社稷壇在縣西門外嘉定陸子遹建

山川壇在縣南門外洪武初建

城隍廟在縣治東南正統初建

名宦祠在儒學戟門右弘治九年立

鄉賢祠在儒學戟門左成化二十一年立先是宋嘉定中立四先生祠祀周濂溪程明道伊川楊龜山十三年又立楊忠襄祠今皆廢

邑厲壇在縣北門外洪武初建

鄉厲壇二百里各一

伍相廟在西南六十里護牙山下員奔吳及破楚道經此地後人廟祀之

顯惠廟在縣北二十里埭頭村祀漢司空溧陽侯

史崇宋大觀二年賜額政和二年封靈濟公

貞義女廟在縣北鳳凰橋（吳越春秋貞烈傳）貞義女黄山里史氏女也吳王僚五年伍子胥去楚自鄭奔吳中道而疾乞食溧陽值女擊緜於瀨筥中有飯子胥跪而乞餐女子飯之子胥餐已欲去謂女子曰掩子壺漿毋令其露女子嘆曰嗟乎妾獨與母居三十年自守貞明不願從適何宜饋飯而與丈夫虧越禮儀妾不忍也子行矣子胥行反顧女子已自沉於水其後闔閭十

年子胥以吳兵入郢還過溧陽瀨水之上長嘆息曰吾嘗飢乞食於女子女子飲我自沉而亡欲報以百金而不知其家乃投金水中而去

李太白貞義女碑銘

皇唐葉有六聖再造八極鏡照萬方幽明咸熙天秩有禮自古及今君君臣臣烈士貞女釆其名節尤章可激清頹俗者皆掃地而祠之蘭蒸椒漿歲祀罔缺而茲邑貞義女光靈翳然埋寘古遠琬琰不刻豈前修博達者爲邦之意乎貞義女溧陽黄山里史氏之女

也歲三十弗移天于人清英潔白事母純孝手采藥而不龜身繫漂以自業當楚平王時平王害忠助讒苛虎厥政芟於尚斬於奢血流於朝赤族伍氏怨毒之於人何其憯哉子胥始東奔勾吳月涉星遁或七日不火傷兮于飛猶迫於昭關匍匐於瀨者含車而徒告窮此女日色以賑餒之壺漿全人自沉形與口滅卓絕千古聲凌浮雲激節必報之讐雪誠無疑之地難乎哉借如曹娥潜波理貫於孝道班婕頌肆槩動於

天倫會姑棄子以却三軍之衆漂母進飯浚受千金之恩方之於此此彼或易耳卒使伍君開張闔閭傾蕩郢郢吴師鞭屍於楚國申胥泣血於秦庭我忘爾存亦各壯志張英風於古今壯夫憤於天地微此女之力雖云爲之上亦焉能咆哮烜赫施於後世耶望其溺所愴惶低回而不能去每風號吴天月苦荆水響像如在精魂可悲惜其投金有泉而刻石無主哀哉邑宰滎陽鄭公名宴家康成之學世子産之才琴清心閒

百里大化有若主簿扶風竇嘉賓縣尉廣平宋陟南朝陳然丹陽李濟清河張昭皆有卿才霸畧同事相協緬紀英淑勒銘道周雖陵頹海竭文武不死其詞曰粲粲貞女孤生寒門上無所天下報母恩春風三十花落無言乃如之人擊漂清源碧流素手縈波潺湲求思不可秉節而存伍胥東奔乞食於此女分壺漿滅口而死聲動列國儀形壯士入郢鞭屍還吳雪恥投金瀨沚報德稱美明明千秋如月在水[俟斯詩]偶因

一飯饋将軍滅口沉淵信義存謾説有金與報德却憐無地可招魂春風瀨沚江蕪綠落日荒祠野樹昏滄海桑田任遷變貞名終古照乾坤

倪岳詩　瀨水迢迢清復深穹祠精爽尚陰森壺漿聊慰将軍渴鐵石應憐烈女心慷慨半生輕九死分明一節重千金芳蒐不逐東流去貞烈名傳亘古今

溧水

社稷壇在縣西門外洪武二年建嘉靖四年改今

地

山川壇在縣南門外洪武二年建

城隍廟在縣治通濟街宋乾道提舉王端朝記云神諱季康元和爲四縣令而終于溧水歸葬下邽溧民尸而祝之數百年不忘即縣治爲祠紹興請于朝賜廟額正顯後進封廣惠侯

名宦祠

鄉賢祠

邑厲壇在大東門外

鄉厲壇每鄉各一

左伯桃羊角哀廟在縣南七十五里廟像伯桃與角哀居左右祀介子推于中

禮部侍郎劉公祠在縣北三十五里宋杜子源有記云溧水縣北之柘塘劉君有祠舊矣禬禳祈禱輒響答

江浦

社稷壇在縣治西北宣德九年建

山川壇在縣治西北三里

城隍廟在縣治西南洪武二十四年建

名宦祠

鄉賢祠二祠俱在學門内東隅弘治十三年知縣

胡昉始置祠嘉靖二十九年移今處

邑厲壇在縣治北二里

鄉厲壇二十九在各鄉

項王廟在烏江去縣西六十里

六合

社稷壇在縣治西門外洪武間立正德間遷今處

山川壇在南門外洪武間立
城隍廟在縣治西高岡上
名宦祠
鄉賢祠二祠在啓聖祠左右
忠賢祠在縣治北嘉靖十七年南京禮部尚書霍
韜立祀名宦鄉賢
邑厲壇在縣治北洪武間立
高淳
社稷壇在縣治西北弘治間立

山川壇在縣治東南弘治間立
城隍廟在察院西
名宦祠
鄉賢祠二祠在戟門外俱嘉靖五年立
邑厲壇在縣治北
鄉厲壇　里社壇每里各一
論曰國之大事在祀與戎夫祀雖戎莫之先也以
今考之凡載在祀典者皆有功德於民者也故歲
豐則蜡始通歲荒則索有深意焉金陵之俗通達

而好禮淫祠視他郡爲鮮蓋狄梁公之在江南程
明道之在上元遺風猶有存者聞之不足以興起
哉

應天府志卷二十終